前世、英雄。

2回目の人生は遊びまくろうと思います。

JN066838

楓原こうた

イラスト 福きつね

ミーシャ
公爵家のメイド。
サクの側付きであり、
数少ない理解者。
サク
転生した元英雄。
実力を隠し自堕落な生活を
送りたいのに…！！

アリス
第一王女、
天真爛漫で無邪気なお姫様。
サクの前世の
幼馴染にそっくりで…。
シェアラ
『魔女の御家人』
の一人。
狂信的な
異端魔術師。
ルミア
『魔女の御家人』の一人。
魔女を追い求める
異端魔術師。

「流石に真っ裸は
私の羞恥的にも難しいよ」

「もっと脱げって
言ってるわけでもねぇよ!?」

「おいおい、
俺の『世界』は鏡だぞ?」

CONTENTS

前世、英雄。2回目の人生は遊びまくろうと思います。

楓原こうた

〔イラスト〕福きつね

プロローグ

所詮、人の体など一つしかないのだ。

いくら聖者と呼ばれる人間だろうと、英雄と呼ばれる人間だろうと、偽善者だろうと、為政者だろうと、伸ばせる手は二つで、立てる場所には一つしか向かえない。

――あるところに、魔術を極めた一人の男がいた。

誰よりも心優しく、困っている人がいれば見捨てられない、そんな男。

そこに種族や人間関係、老若男女は問わず、本当に見境なく誰にでも男は優しさを向けていた。

困っている人がいれば助けよう、と。結局、その男が極めた魔術という力も、他者を守るために磨かれたものであった。

性格故か、それとも信念の深さ故か。魔術という世の事象に干渉する力を極め、幾度となく誰かを守るために拳を握ってきた。

そして、遂には他の追随を許さないほど個として最強に登り詰める。

最強が最強として世界に名を轟かせるまで、さほど時間はかからなかったそう。時に街の誰かが噂し、吟遊詩人が詠い、助けられた者が崇め、感謝を言い伝える。

だからこそ、耳にした人々はその男を求め始めた——自分も助けてくれる、と。

もう一度言うが、所詮人の体など一つしかないのだ。

同時に助けを求められても、一方しか助けられない。ならば、多くの人を助けられる方に向かった方が一度に多くを救える。

言わば、男は合理性を選択し始めたのだ。

合理、合理。少数は切り捨て、諦めろ。多数を優先してより多くの命を助けろ。

合理、合理。

世の中は合理性の塊だ。

感情や不条理が介入こそすれど、総評的に……結果的には合理的な方へいい結果が訪れる。

ただ、その結果は男の望んだものとは限らない――

「ご、めんね……」

燃え上がる火の手。崩れ落ちた建物。転がる瓦礫(がれき)。耳に届く呻(うめ)き声。

その全ての要素が詰まった空間の中、男の腕の中には一人の少女がいた。

「でも、ちゃんと……サクくんが守りたかった人達、守れたよ……?」

ところどころ焼け焦げ、満月のように美しかった艶(つや)やかな金髪はすでに面影がない。

可愛らしくも端麗(たんれい)な顔立ちには傷跡が残り、抱き締めている腕が先程から赤い液体によって染み始めている。

「ごめん、ごめん……アリス……ッ！」

男は泣いた。

少女の瞳が向けられている状態のまま、子供のように。

「だい、じょうぶ……だって……」

頬に不意に添えられた手は弱々しく、人の温もりをあまり感じられないほど冷たかった。

それでも、胸の内にいる少女は小さく笑って慰める。

「サクくんみたいに、強かったら……こんな結果にならな、かった……かもしれない、けど……私は、大丈夫……」

何が大丈夫なのか？　今の姿を見せれば百人が百人、首を横に振るに違いない。

それでも、少女は震える口を動かし続ける。

「あんま、り……自分を責めない、でね……」

「だけど、俺のせいで……ッ！」

「私は、サクくんのこと……好き、だよ……」

男の涙が少女の手を濡らす。

「優しい、ところも……かっこいいところも、ちょっとドジで、変態さん、なところも……可愛くて、全部全部……大好き」

だから、と。少女は最後に口にした。

「間違って、ないからね……私の、愛しい英雄さん……」

そして、少女の手は頬からゆっくりと離れた。

投げられた手は動く気配をなくし、向けられた瞳からは色が完全に消え失せ……口元は、見せていたままの小さな笑みが残っている。

抱き締めている少女の体温は冷たいまま。揺すっても、声をかけてもなんの反応も見せない。

こんなの……こんなの、誰がどう見ても少女は――

「あ、ァァァァアアアアアアアアアアアアアアアアアアッッッ!!!」

男にとって、少女は誰よりも大切な存在であった。

幼なじみで、男の優しさにいつもついてきてくれて、落ち込んだ時は慰めてくれて、一緒に並べるよう努力までしてくれて、いつも横で笑顔を向けてくれた。

あっさりだ。別の場所に足を運び、別の人間を助けようとした結果、こうなってしまった。

多数を選んだ、合理の果て。

頭の中ではしっかり分かっていたはずの――見捨てた少数の未来だ。

そこにたまたま、大事な人がいたというだけ。単なる偶然の要素が紛れ込んだという話。

しかし、男にはこれが堪(こた)えてしまった。

人を助けて、助けて……助けた結果が、大事な人を失うという結末。

こんなことなら、いっそ――

「誰も、助けるんじゃなかった……ッ！」

そう、口にした瞬間だった。

サクッ、と。男の胸から一本の剣の切っ先が覗いたのは。

「ふはっ……やったぜ、遂に英雄を俺が倒したァ！」

もしもこの時、最愛の人間を失った悲しみで叫んでいなかったら、誰かに気づかれることもなく背中に剣は刺さらなかっただろう。

もしかすれば、失意の底に立たされても誰かを救っていたのかもしれない。

もしかすれば、失意に堪え切れずに山奥で一人籠っていたのかもしれない。

しかし、結果は報われることも立ち直ることもなく呆気なく終わる。

最強と言えど、心臓に剣を刺されれば人は死ぬものなのだ。

（アリス……）

男の体は、後ろから聞こえる愉悦（ゆえつ）の言葉に押し倒されるかのように少女の骸（むくろ）へと覆い被さった。

不思議と痛みは感じない。

ただ――

（俺が、誰も助けなかったら……）

きっと、今まで費やしてきた時間を少女と一緒に歩めたかもしれない。

街で買い物をしたり、綺麗な景色を一緒に眺めたり、結婚して子供を授かったり。

多くの時間を一緒に過ごし、幸せな時間を味わっていたのかもしれない。

だったら、いっそのこと助けなければよかった。

合理より、大事なものを優先して。

「ちく、しょう……」

サク・イライゼ。

合理を選んできた、最強の魔術師（ヒーロー）。

その人生が、呆気なくも後悔に塗れて幕を下ろ――

――した、はずなのに。

「……は？」

ペタペタ、と。男は己の体を触る。

視界には、どこか綺麗な装飾があしらわれた立て鏡。

そして――

「なん、で……俺がこんなに小さくなってんだ⁉」

視界に映るのは、己の記憶にない幼い子供であった。

第一章　転生してしばらく

幼い体になってから早いものでもう八年の時が過ぎてしまった。

省略しすぎだと各種方面からバッシングを浴びそうなものなのだが、本当に経ってしまったのだから仕方ない。

結論から言うと、サクは別の人間に転生してしまったようだ。

自分の記憶の中にある幼い頃の体や顔つきではなかったし、知らない人間が両親だったり、過ごしている場所がどこぞの村ではなく豪華な屋敷であったため、そのような結論に至った。

リンゼル公爵家の嫡男（ちゃくなん）、サク・リンゼル。

それが、転生したあとのサクのフルネーム。サクという名前が変わらなかったのは幸いであったが、馴染みのある家名は偉大なものへと変わってしまっている。

更には、王国歴七百十一年――サクが生きていた頃が王国歴五百年であったので、何故か二百年も時間が経っていた。

もう、なにがなんやら。これがサクが転生した直後の感想である。

そして、今は――


「坊ちゃん、起きてください！」

バタンッ！と、勢いよく部屋の扉が開かれる。

そこから姿を現したのは、明るい茶髪がよく似合うメイド姿の少女。可愛らしい頬を膨らませ、どこか不機嫌な様子で室内へと足を踏み入れた。

透き通った琥珀色(こはくいろ)の双眸(そうぼう)は部屋の隅に堂々と置かれているベッド……正確に言えば、一つの大きな膨らみへと向けられる。

そして――

「……んぁ？」

むくりと、一つの影がゆっくりと起き上がった。

捲(めく)れたシーツから覗かせたのはボサボサの黒い髪。幼さが残る綺麗な顔立ちと、眠たげに開かれる黒い双眸。

起き上がっただけなためよく分からないが、恐らく少女よりも身長が高い。

そんな青年は瞼(まぶた)を擦りながら周囲を見渡し、やがて少女へと虚(うつ)ろな目を向けるとすぐにまたベッドに横になった。

「へい、ミーシャ……陽はまだ高いぜべいべー」

「陽が高いから起きるんですよ坊ちゃん⁉　もっともらしい言い訳が思いつかないのならふて寝するんじゃねぇです！」

少女——ミーシャはズカズカとベッドへと行き、シーツを摑んで思い切り剝がす。捲れたあとには縮こまり、春だというのに寒そうに体を抱える少年の姿。

窓の外を見ても暗い景色は映らない。それどころか陽気を感じられる清々しい朝……もとい、昼。もう皆は起きて一日を謳歌(おうか)しているはずの時間だ。

「……これは新手の暴力だと思うんだ。睡眠妨害反対」

それなのに、この堕落っぷりである。

ミーシャは思わずため息だ。

「はぁ……坊ちゃんは仮にも公爵家の嫡男様なんですから、もう少ししっかりしてください」

サク・リンゼル。

リンゼル公爵家の嫡男にして、現段階で当主候補の少年。

加えて――

「……前まで働き蟻だったんだから少しぐらいはいいじゃない」

「はい？　働き蟻？」

「なんでもありませーん」

ぶっきらぼうにそっぽを向いて起き上がるサク。

その姿を見て、メイドであるミーシャは大きくため息を吐いた。

「どうして坊ちゃんはこんなに自堕落……このままじゃ、いつまで経っても『公爵家のごく潰し』の汚名を返上できないです」

サクが転生してからはや八年。

現在、彼には二つの呼び名があった。

一つは『公爵家次期当主』。リンゼル公爵家唯一の子息であり、立派に公爵家の血を継ぐ人間。それ故に、自他共に認める継承権を持つ存在であり、競合がいないためにほぼ確実にものにしている。

そして、もう一つは『公爵家のごく潰し』だ。

その理由は至って単純。

「学園にも行かず、かといって勉強をするわけでも公爵様のように領地を守るわけでも社交界に顔を出しているわけでもなく、毎日毎日食っちゃ寝食っちゃ寝の堕落した毎日を送る……ミーシャは汚名に対して何一つとして反論ができません」

「安心しろ。お兄さんも反論するところが見当たらん。泣く時は一緒だ」

「寂しい思いなんかしてないんですよ坊ちゃんは泣くべきなんですよ本来はッッッ!!!」

街へ出掛けてみたら分かるだろう。

今この場にはミーシャしかいないから何もないが、ひとたび外の空気でも吸いに行けば陰口のオンパレードである。

やれ『税金泥棒』やれ『怠け者のクズ』やれ『遊び人』やれ『魔術が使えない無能』。

陰口のレパートリーは増えるばかりで、褒められる言葉などどこに耳を立てても聞こえない。

それも当然。転生してから今の今まで——サクは何、も、し、て、こ、な、か、っ、た。

前世のように誰かを助けることも、己の魔術を極め続けることも、新しい時代に適応しようとすることも全て。

何を言われてもどこ吹く風で、噂に違わぬ自由な生活を送っていた。

そのため、街や社交界でのサクの評判は最悪。屋敷の中にいる使用人達からの評価も下を振り切っており、屋敷を歩けば街と同じ蔑(さげす)んだ目がお目にかかれるほどである。

未だに息子としている両親と側付きのメイドであるミーシャが見捨てていないのが不思議なぐらいだ。

「少しはサク・イライゼ様を見習ったらどうです？　同じ名前なんですし」

「何故？」

「何故⁉　あの英雄様に向かって何故⁉　坊ちゃんは頭の中まで描写映えするお花畑なんですか⁉」

聞き返しただけだというのに、ミーシャは信じられないという顔をする。

「二百年前の時代、多くの人達を助けてきた英雄！　魔術師として二百年後の現代まで遡っても並ぶものがいないとされる最強！　見返りは求めず、誰かを助けたいという想いだけで身も心も人のために尽くしてきた善人！　その功績と実績は後世にまで語り継がれるほど！　今時英雄に憧れない子供なんていないですよ、絵本の読み聞かせとか舞台では大人気なんですから！」

「………」

瞳を輝かせながら虚空を見つめ、熱く語るミーシャ。

それを見て、サクは頬を引き攣らせるばかりだ。

（……こんな羞恥プレイって中々お目にかかれないよなぁ。廊下でストリップショーをかました方がまだ笑いが取れるぞ）

昔から「英雄英雄」だと騒がれていたのは覚えているが、まさか後世まで語り継がれるとは。

これが転生してから一番驚いたことである。

気になって絵本を覗けば綺麗に尾ヒレがついていたり、吟遊詩人が詠っているところに耳を傾ければ拡大解釈をされていたり。

本人が聞いていないからと好き勝手やっているのだろうが、サク本人としては「当人がいるんだから自重しろやボケ」の一言。

とはいえ、そんなこと言えるはずもなく――

（まぁ、公爵家のごく潰しがあの英雄なんて誰も思わないだろうし）

そもそもの話、転生などという摩訶不思議な現象が実在するなんて誰も思わないのだ。

当の本人ですら未だにどうしてこんなことが起こったのか理解はできていないの

だから。

「坊ちゃんは英雄様を見習うべきなんです！　いや、見習わなくてもいいですから少しぐらい私の胃を慮っていただけると……ッ！」

「侮るな、これでも俺は気遣いのできるジェントルマンだ。ちゃんと分かっているさ……あの日、なんだろう？」

「的外れですし、その発言が飛び出してきた時点で気遣いの欠片もねぇですよ」

ジェントルマンとは思えない失礼な発言である。

「（……見習った先の結果が喜劇とは限らねぇよ）」

「え？　何か言いましたか？」

「なんでもない」

首を傾げるミーシャをよそに、サクは大きく欠伸を見せる。

「まぁ、坊ちゃんに今更とやかく言っても何もないのは分かってるので、もういいですけど」

「理解のある側付きで助かるよ」

「坊ちゃんに理解のあるミーシャちゃんはご飯の準備してくるので、少ししたら食堂にきてくださいね」

そう言って、ミーシャはメイド服を翻して部屋の扉へと向かっていき、余韻を残すかのように艶やかな髪を最後に見せて扉の奥へと消えていった。

サクはその背中を見送ると、もう一度ベッドへ横たわる。

見上げても何もない天井が広がるだけ。サクは少しの間天井を見上げ続けると、唐突に腕を小さく振るった。

その瞬間、虚空に一枚の色鮮やかな硝子が浮かび上がる。

（魔術は昔と同じように使える……）

魔術とは、定めた術式に魔力を注ぎ込むことによって起こる事象のことである。

零から一を生み出す。世の理に介入することによって文明に発展を、利便性と武器を与えた。

魔力の濃さ、術式を発音するセンス、読み込むための理解力など、魔術の強弱は体質や才能、努力によって左右されるが、それでも強大な力だというのには変わりない。

故に、今も昔も魔術は当たり前のように世界へ広がり、多くの人間が扱うようになった。

『炎下の担い手に新たなる力を——火球！』

『母なる海に祈り願い捧げる――水流！』

ふと、窓の外からそんな声が聞こえてくる。

覗けば、窓から見える訓練場で何人かの屋敷の騎士達が的に向かって多種多様な魔術を放っていた。

空いた手には一つの巻物（スクロール）が握られており、傍からでもしっかり読んでいるのだという様子が分かる。

（今日も魔術の練習、ご苦労なこって）

多くの人間が扱うからこそ学ぶべきものも多く、比べられることも多々ある。

そのため、学園の授業やちょっとした冒険者の育成のために養成所まで作られるほど、できるできないは置いておいて『必須』の括りになっていた。

それは今も昔も変わっていない。

ただ、一点変わっているのだとすれば――

（……魔術の衰退）

サクはもう一度腕を振るう。

今度は床や壁一面に眩（まばゆ）いほどの色鮮やかな硝子（ガラス）が敷き詰められた。

その際、サクは騎士達とは違って何も口にしていない。

（詠唱しなきゃ使えない魔術が今や主流（テンプレ）。固有魔術（オリジナル）の面影は既に存在しない、ってのには流石（さすが）に驚いたな）

魔術は術式を読めば扱える。

どんな人間であっても存在する魔力をただ流し込み、口にすれば誰にだって扱える魔術ほど便利なものはない。

サクがいた時代にも、術式を紙や巻物（スクロール）に書き込み、読み上げる。または暗記して詠唱といった魔術を扱う方式は採用されていた。

しかし、主流（テンプレ）とはならなかった。

それは何故か？　理由は至って単純——誰でもできるが故に誰かが扱える程度で止まってしまうからだ。

もちろん、詠唱が長ければ長いほど。起こす事象が大きければ大きいほど、読み上げるだけでもセンスと力量が求められるのだが、言ってしまえばそれ以上のことが何もできなくなる。

だからこそ、昔は固有魔術（オリジナル）というものが主流（テンプレ）になっていた。

己の魔力総量、センス、読解力に理解力を見極め、限界を常に挑戦、そして創造力によって自分オンリーの魔術を編み出す。

誰にも扱えない自分だけの魔術。

だからこそ、誰にも真似をされることもないし、自分の潜在能力（ポテンシャル）を最大限に引き出せる自分の魔術は他の魔術よりも強力になる。

加えて、誰よりも術式を理解しているからこそ詠唱すらも必要しないため、相手に隙を作ることもない。

もちろん、固有魔術（オリジナル）まで至れる人間は少なかったのだが、それでも主流（テンプレ）となり得た。

しかし、二百年後のこの世界——固有魔術（オリジナル）の概念がほぼ皆無。
固有魔術（オリジナル）に至れるような人間がいなくなったからか？　それとも——

「……人に堕落って言うが、どっちが堕落なんだよ。簡単に衰退しやがって」

サクは窓の外から視線を移して指を鳴らす。

すると、部屋一面に造られていた硝子は一瞬にして消えてしまった。

（……もう、俺はこの力で見知らぬ誰かを助けたりしない）

この力は見知らぬ誰かを助けるために身につけたものだ。

己の性格に合理を加え、合理を成し遂げるために極めた。

その結果が己の望まぬものなのだとしたら……もう、振るう必要はない。

（なぁ、アリス。俺はお前の分まで幸せになるよ。今までできなかったことをして、な）

周囲から馬鹿にされようとも今世は遊んで暮らすと決めた。

何せ、皆が当たり前のように過ごしていた時間はサクが過ごせなかったものなのだから。

たとえそれが、英雄とは程遠い姿だったとしても。

「さーて、ミーシャが怒る前にさっさと飯でも食いますかね」

サクは大きく背伸びをすると、徐（おもむろ）に腰を上げた。

脳裏にある少女の姿が思い浮かぶ。

何年も前だというのに、未だに浮かんだ姿は鮮明であった。

それがどことなく懐かしく感じ、部屋の扉に手をかけるサクの口元に自然と笑みが浮かんでしまった。

サクの一日は基本的に特別なことはない。

両親が働いている間に飯を食べ、同年代の若者が学園へ行っている間に昼寝をして、領民が夕食の支度をしている間にまた飯を食べる。

加えて遊びたい時に遊び、やりたいと思った衝動のままやりたいことを行う。

周りがもしリアルタイムでサクの日常を見ていれば、きっとコメント欄は陰口以上の大荒れに違いない。

堕落しきったこんな毎日に飽きはしないのか？　そう思われるかもしれないが、前世で『遊び』や『自由』といったことをしてこなかったサクにとっては逆に飽きる要素がなかった。

皆が当たり前にしてきたような時間こそが貴重で、何をするにしても新鮮に感じるのだ。

「坊ちゃん、今日の予定はなんですか？」

食堂でミーシャが紅茶を淹れながら尋ねる。

横にはお腹いっぱいでとても幸せそうな顔を浮かべるサクの姿。料理人が見れば本望だと喜ばれるだろうが、如何せんこれは皆様働かれている間に見せられた遅すぎる朝食後。複雑な気持ちを抱くに違いない。

「んー……天気もいいし、昼寝？」

「坊ちゃんは睡眠不足って概念がなくてよさそうですよね」

「やだなー、褒めてもお給金は上げないぞ？　父上達に頼み込んではみるけど」

「皮肉ってんですよ、都合のいいお耳を持ってらっしゃる坊ちゃん」

周囲から馬鹿にされ続けているおかげか、サクのお耳はポジティブ方面へいつの間にか進化していたようだ。

「お勉強とかしてみたらいかがですか？　家督を継ぐことになるんですし、学園に行かないならせめてそれぐらいは――」

「ミーシャって、いつも可愛いよね」

「今、いつも可愛いミーシャはポットを弁償できるぐらいのお金を持っています」

「……待て、どうして壊す前提で俺に向かって振り上げている？」

褒めたのにもかかわらず、ミーシャの額には青筋が浮かんでいた。

直接的な主人ではないが、世話をする貴族にティーポットを振り上げられる平民も今時珍しいだろう。二人の仲のよさが窺える一幕だ。

「っていうか、遊んではいるが流石に領地の勉強はマメにしてるぞ？」

「…………」

「嘘じゃねぇってその無言やめてくんない？」

はぁ、と。信じてもらえないメイドのジト目を受けてサクはため息を吐いた。

「領地経営って意外とこれまた面白いんだよ。人の流れとか金銭の動きとか物流とかさ。たとえば、そこらに建てる家に必要な過程、そこから派生する利益と損害。借主の経歴から生まれるリスクとリターン。それを見極める領主側の基準。今まで考えてすらなかった物事を裏側から見られるって結構新鮮なんだぜ？」

流暢に語り始めるサク。普段のおちゃらけてだらしない姿からはどこかかけ離れているように見えた。

だからこそ、ジト目を向けていたミーシャが面食らったように驚く。

「い、意外です……ちゃんとお勉強してそうな人の発言です」

「興味があることにはちゃんと興味を示すタイプなのさ、俺は。だから学園に行ってなくても、なんだかんだ父上達は俺を放任してるだろ？　ってことは、最低限のお勤めはしてくれそうって判断された証拠だ」

サクは決してクズではない。

前世は『誰かを守りたい』という一心で魔術を極めたり、土地や商業、病気などを頭に叩き込んだりしていた。勉強意欲は、決してないわけではない。むしろ真面目な部類だろう。

ただ、今はそのベクトルが『自由』と『遊び』に向いているだけで、興味を持つ事柄に対しては愚直に学ぶのだ。

「……その最低限に貴族としての体裁は含まれてねぇんですかね」

「含まれていても俺はスルーしただろうな」

「もう、自由人めっ！」

ミーシャは頬を膨らませてサクの背中を何度も叩く。

女性故か、大して痛くなく、ミーシャに抱いた感情はただ単に可愛らしいが先行した。

「んじゃ、美味しい飯でも食べたことだし新しい昼寝スポットでも探しに行きますかね」

そう言ってサクは立ち上がり、食堂の扉までゆっくりと歩く。

そして、ミーシャはその後ろを何も言わずについて行った。

「私の膝枕って平民価格でもお高いんですよ？」

「膝枕前提で探しに行くわけじゃないけどな⁉」

「やれやれ、女性の温もりに飢えた坊ちゃんには困ったもんです」

「……いつ俺がミーシャの太ももに顔を埋めたいって言ったよ。記憶捏造は頭の心配をしてしまうからほどほどにしときなさい」

サクのため息に、ミーシャはクスリと笑う。

なんだかんだ言っても、ミーシャは周囲とは違ってサクを憎んだり馬鹿にしたりはしていない。

それは、この笑顔だけでよく分かるものであった。

『おいおい、我らが坊ちゃんが外に出てるぜ』

『名誉ある公爵家のごく潰しは今日もお昼寝スポット探しですかね？』

『昼寝の最中に襲われたって報せを受けたら、笑いを堪えきれない自信があるぞ』

屋敷を出て広大な敷地を歩いていると、ふとそんな声が聞こえてくる。

訓練中に休憩している騎士からだろう。視線を少し向ければ、訓練場の外で甲冑を脱いでいる男達がサクを見てヒソヒソと笑っていた。

「坊ちゃんの専属メイドの身で言うのもなんですけど、こういう声に慣れた私がいます」

不快な顔をせず、ただ一瞥するだけで横を歩くミーシャ。

それを見て、サクは小さく肩を竦めた。

「まぁ、それだけ親しみを持たれてるってことだろ。領民からも同じ態度を取られている俺はきっと上に立つ者の鑑に違いない」

「舐められているって答えには行き着かないんですね」

「現実を直視するだけが世を生きる術ってわけじゃないぜ」

貴族であるにもかかわらず、家臣に馬鹿にされてもどこ吹く風。

一般的な貴族とは程遠い姿だろう。それもこれもミーシャの言う通りではあるが、一つの要因としてはサクが根っからの貴族ではないというものもあるはずだ。

前世のサクは平民。それも、貧しい農家の生まれだ。

貴族らしく構えることも、そもそも家柄に誇りを持っているわけでもない。

八年過ごしてきたが、前世で平民として過ごしてきた時間の方が多いため、貴族に染まりきることは中々できなかった。

とはいえ、公爵家の人間にしては些か舐められすぎではある。

「私は坊ちゃんのおめかしした姿が見たいです」

「藪から棒だな。どうした、急に？　いつの間にお前は俺のお母さんポジを確立したの？」

「どっちかというとお姉さんポジじゃないですか？」

「年齢的に俺が歳上なんだが」

「私の普段がお姉さんポジを確立させています」

確かにな、と。サクは苦笑いを浮かべる。

「私が側付きのメイドになってから、坊ちゃんって社交界に顔を出したことってないじゃないですか」

「あー……言われてみればそうだな」

ミーシャが側付きのメイドになったのは四年前。

近しい年齢の子をメイドにさせたいという両親の要望により、男女問わず領地の若い子を募集。その流れで使用人としての礼儀作法、家事全般優秀であったミーシャが採用されたというわけだ。

だから、こうして仲がいい二人の関係は四年の付き合いによるものである。

「まぁ、昔は誕生パーティーとか参加したり開いていたりはしたが……」

「が？」

「俺の評判が悪くて、な」

「私の夢は坊ちゃんの自業自得によって潰えました」

しくしく、と。ミーシャは見るからに分かる泣き真似を見せる。

それが分かっているからこそ、サクはツッコむことなく綺麗にスルーをした。

「そもそも、社交界ってあんまり好きじゃねぇんだよ。だから行かなくておーけー」

「好きじゃないっていうより、面倒くさいってだけじゃないですか？」

「それもある、けど……いくら評判が悪いって言ったって目に見えるゴマすりが嫌だっていうのはあるんだぜ？」

仮にも、サクは公爵家の人間だ。

王家に次ぐ、貴族の中の頂点。故に影響力も資産力も発言力も大きく、あやかりたいという人間はごまんといる。

更には、評判が悪いからこそ「取り込みやすい」と狙ってくる人間が増えるのだ。

ひとたび社交界に出れば、そういった人間の見たくもないゴマすりを拝む羽目になる。

「ババアと野郎のゴマすりなら苦笑いでスルーしてもいいんだが、問題は腹を痛めて産んだ大事な娘を差し出してくる人間がたまになぁ」

「私はよく分からないですけど、政略結婚なんてよくある話じゃないんですか？」

「よくある話と俺の気持ちがいつでもイコールになるわけじゃないぞ？」

首を傾げるミーシャに、サクは愚痴るように呟いた。

「……大事な娘を道具のように扱う人間っていうのはどうにも好きになれん」

話の流れ、何気ない一言。

そこに、公爵家のごく潰しと呼ばれるクズの優しさがチラリと滲む。

前世で英雄とまで呼ばれたサクだからこそ出た発言なのかもしれない。

横で聞いていたミーシャはほんのりと頬が朱に染まり、小さく口元を綻ばせた。

「（……流石は坊ちゃんです）」

「なんか言った？」

「なんでもねぇーですよー」

上機嫌に鼻歌を鳴らしながら先を歩き始めるミーシャ。

その後ろ姿を見て、サクは不思議に思う。

どうしていきなり嬉しそうにするんだと、頭にはそんな疑問が浮かび上がる。

「まぁ、ともかく。俺は社交界には顔は出さんよ。そういう話があっても、全力でトンズラする」

「そうなった時は全力で捕縛体制を整えときます」

「やれるもんならやってみろ。こう見えて、お兄さんは身体能力には自信がある。屋敷の人間がこぞって捕縛しようとしても逃げられるぞ」

「捕まったら新しいお洋服ください。逃げ切れたら膝枕してあげます」

「その賭け乗った。といっても、俺が社交界に出る機会なんてないだろうが――」


と言った、その夜。

「どう、して……こうなったッ！」

息を荒げながら、敷地内のどこかにある物陰に隠れるサク。

チラリと顔を覗かせれば、夜分遅くだというのにいつも以上の騎士が徘徊していた。

余計に出られない。サクは必死に荒い息を潜める。

そこへ、こんな声が敷地内中に響き渡った。

『えー、屋敷のどこかにいるであろう坊ちゃんに告げます。大人しく姿を現して綺麗なお洋服を着ましょう。王家のパ、ー、テ、ィ、ー、に参加ですよー』

どうしてこんなことになったのか？

サクの疑問は、数時間前まで遡る——

「坊ちゃん、公爵様がお呼びのようです」

昼寝から戻り、茜色の陽射しが沈み始めようとした頃。

膨大な敷地の隅っこにある農園で畑を耕していたサクの下にミーシャがやって来た。

ちなみに、サクはタオルに動きやすい服といった農業スタイルだ。額にいい汗が滲んでいる。

「俺は手が離せんと言ってくれ。今日中に新しい命(たね)を植えておきたいんだ」

「毎回思いますけど、なんで公爵家の人間が農業なんてやってるんですか……」

「無論、趣味だな」

サクの趣味の中には農業が含まれている。

前世が農民だったからか、何かを育てるという行為が好きなのだ。

もし、誰かを助けようとせずに魔術など学ばなければ、こうして畑を耕しながら一生を終えていたのかもしれない。そういう未練もあるのだろう。

自由奔放なサクはそれ故に二年ほど前から敷地の一部を使って自作の畑を作っていた。収穫物は主に野菜である。

だがミーシャの言う通り、平民のするようなことを貴族がやっているというのはおかしなことだ。

「これが意外と楽しいんだよ。それに引き籠ってばっかり遊んでばっかりじゃなくて、たまには運動でもしないといけないしな」

「そのベクトルは貴族らしく剣でも握ったらどうです？」

「えー……今更握るって」

「今更？」

しまったと、サクは慌てて口を押さえる。

ミーシャには自分が転生した、などという話をしていない。話してしまえば「頭がおかしくなった」と思われる可能性が高く、変な目で見られてしまう恐れがあるからだ。

更に、言ったとしても何かが好転するわけでもない。

前世の自分が気恥ずかしくもほぼ神格化している現状、評価が改まることも優遇されることもないだろう。逆に虎の威を借りようとしていることで怒られるかもしれなかった。

言うメリットが皆無な以上、サクはこれまでミーシャであろうが両親だろうが誰にも話してきていない。

「まぁ、坊ちゃんが奇行に走るのは見慣れてるので構いませんが……公爵様の呼び出しには応じた方がいいんじゃないですか？」

「嫌だよ、怒られるし」

「怒られる前提で話が進むって思うんなら生活態度を見直すべきです」

ごもっともである。

「ほら行きますよ。坊ちゃんが話している間に私が種蒔きをしておきますから」

そう言って、ミーシャはサクの首根っこを摑んで引き摺(ず)り始める。

サクは顔にすこぶる嫌な表情を浮かべながら、大した抵抗もせずにミーシャに引き摺られていった。

恐らく、抵抗しないのは抵抗してもいつかは話を聞かざるを得なくなるからだろう。

公爵家の嫡男が情けなくメイドに引き摺られるという構図が屋敷の中まで散見され、通り過ぎた人達がヒソヒソと話し始める。

そんな姿を気にした様子もない二人は屋敷の中へ入ると、エントランスの中央にある階段を登っていった。

「先輩、痛いっす。ケツが段差に絶妙な一撃を」

「なら立って歩いてくださいよ」

「……ミーシャって意外と力強いよね」

「メイドの嗜(たしな)みです」

男一人を平気で長い距離を引き摺れる腕力は確かに凄いものだ。

とてもメイドの嗜み程度で鍛え上げられるものとは思えない。

「ほら、着きましたよ」

ミーシャの腕力に改めて感嘆としていると、二階通路の奥——その一つの扉の前へと辿り着いた。

それを見て観念したのか、ようやくサクは立ち上がって大きなため息を吐いた。

「……慰めるスタンバイよろ」

「はいはい、温かい紅茶とメイドの太ももを用意しておきますよ」

サクは肩を落とし、おずおずと扉を数回叩く。

すると、奥から「入れ」と低く簡潔な言葉が返ってきた。

「……失礼します」

ノブを捻り、ゆっくりと扉を開ける。

簡素とした室内。壁には何もかけられておらず、シンプルな茶色の壁紙に、本棚がズラリと並んでいるだけ。

中央にはテーブルとソファーが置かれ、その奥の執務机の前には一人の大男が腰を下ろしていた。

――リンゼル公爵家、現当主。

サクの転生後の父親であり、王家を除く貴族の中でトップの席に座る人である。

だからからか、腰を下ろしているその姿には異様な貫禄があり、顰める眉が動く度に背筋を伸ばしてしまいたくなる雰囲気があった。

サクの父親――ルガンの瞳が部屋に入ったサクの姿を捉える。

そして、ゆっくりと口を開いた。

「来たか」

「呼ばれましたので。あの、特に用事がないんだったら帰ってもいいですか？」

「まだ入って数秒だろう？」

「いや、まだ可愛い畑ちゃんに新しい命を蒔いてないんだよ。だから親子の親交なんて溝に捨てて――」

ザクッ、と。そう口にした瞬間、サクの顔の横に何かが通り過ぎた。

恐る恐る首だけ動かして横を向くと、そこには「キラン☆」と鋭利に光るナイフが綺麗に壁へと突き刺さっていて……。

「親子の親交は大事だろう」

「息子の命の方が大事だと思いますけど⁉」

少しでもズレれば大事な親交を深めようとする相手が三途の河に直行であった。

「いつも言っているが、少しは貴族らしい行動をしろ。俺の席に座ったとしても同じようなことを言われ続けるぞ？」

ルガンは背もたれにもたれかかりながら、いつの間にか手に持っていたナイフを引き出しへとしまう。

サクは猟奇的（りょうきてき）な愛の鞭（むち）にため息を吐くと、後ろにいるミーシャに片手を上げて飲み物を出すように促した。

ペコリと頭を下げたミーシャを確認して、サクは中央のソファーへと腰を下ろす。

「別に俺は周りにどう言われようとも何も思わねぇよ。父上だってよく言うじゃん、上に立つ者は堂々と構えるべきだって」

「構える場所が違うわ」

飄々(ひょうひょう)と言ってのけるサクにルガンはため息を吐く。

この家はため息が多いですね、と。紅茶を用意しているミーシャがふとそんなことを思った。

「それで、用件って何？　やっぱりお叱りなの？」

「叱りたいことは山ほどあるが、用件は別にある」

ルガンは引き出しから一枚の赤い便箋(びんせん)を取り出した。

それをサクの目の前にあるテーブルへと器用に放り投げ、紅茶を置こうとしたミーシャが代わりに手に取る。

「公爵様、こちらは？」

「王家からの招待状だ」

「招待状？」

王家からの招待状は滅多に目にすることはない。

何せ、王家から送られる招待状は全てが『正式』。加えて、ほぼ『拒否不可能』

の書簡となるからだ。

それ故に王家としても気軽に送ることができず、本当に強制してでも連れてきたい相手がいる場合のみ筆を執ることにしている。

もちろん、私用も王族にだってある。気軽にお茶会へ誘いたい時もあるだろう。

そういう場合は王族としての名目で招待状を送るのだ。

招待状二つの見分け方は単に色の違いである。ちなみに、王家として送られてきた場合はミーシャの手に持っている手紙からも分かる通り、赤色だ。

「坊ちゃん、どうぞ」

「ミーシャが読んでよ。触ったら面倒事に巻き込まれる呪いにかかりそう」

「なんで平民に高嶺の花子さんのラブレターを開けさせようとするんですか」

別にいいですけど、と。ミーシャは懐から取り出したペーパーナイフで丁寧に便箋を開けていく。

そして、取り出した紙をゆっくりと読み上げた。

「ふむふむ……第一王女の生誕パーティー、ですか」

この国には王族の血を継ぐ若者が五人いる。

成人を超迎えた男が二人、これから成人を迎える男が一人と女が二人。

現在、継承権を持つのは成人を迎えた第一王子と第二王子で、継承権争いの真っ最中とのこと。

それは現在の国王の歳がそろそろ引退目前まで差し迫っているからだ。

王国で継承権が正式に与えられるのは成人を迎えている人間オンリー。故に、継承権争いに参加できるのは現時点で成人を迎えている第一王子と第二王子のみ。他の人間は蚊帳の外。

今回の生誕パーティーは、そんな蚊帳の外で王家の末席に加わっている者に対するものであった。

「第一王女って、今年成人を迎えるよな」

「そうなんですか？」

「そうそう、おめでとうお酒と賭博が解禁ってクラッカーを鳴らされる歳のはず」

ちなみにサクはすでに成人を一年超えている。

この国での成人は十五歳。つまり、サクは現在十六歳だ。

とはいえ、前世を含めれば優に三十を超えてはいるが。

「そういえば、王族の生誕パーティーって毎回やってましたっけ？　そんなに頻繁に公爵様が足を運んでいたイメージがないんですけど」

「確かに、毎回は開かれてない」

「やはりそうなんですね」

あれ、と。ルガンからの返答にミーシャは首を傾げる。

それを見て、サクは気怠(けだる)そうに口を開いた。

「大方、大々的に味方集めをしたいんだろうよ」

「味方集め？」

「第一王女は今年成人を迎える。国王もまだ席を譲ったわけじゃない。つまりは、誕生日を迎えた瞬間に第一王女は継承権っていう人にとってはありがた迷惑なチケットを手にしてしまうわけだ」

継承権争いで必要なことは己の才覚でも財でも武力でもない。

国を率いるために必要な国民からの人気度。更には自分を支持してくれる仲間の数と質によって決まる。

いくら継承権が高くとも、味方がまったくおらず、周囲から「国王に相応しくない」と言われているまま席に座ってしまえば国は瓦解(がかい)。

それが分かっているからこそ国王もそんな人間を次期国王に選ぼうとは思わないし、誰も納得してくれることはない。

そうならないために、継承権を持つ者は仲間集めに勤しむのだ。

血統主義であろうとも、周囲から支持されていない人間には上へ立つ資格など存在しないのだから。

「もちろん、継承権を手にしてから「よーいどん」ってわけじゃない。目に見える合図が本当のスタートじゃないからな。第一王女はすでにある程度の味方は確保してるだろうよ」

「だったら、なんで味方集めをするんですか？　ぶっちゃけ、もう集まっているならする必要がない気がしますけど」

「そこらにいる貴族だって全員が全員誰かの派閥に属しているわけじゃない。中立の立場を取ってどっちが勝ち馬になるか様子を窺っている人間もいるわけだ。そういうやつらに向かって「私はこれぐらい仲間がいます」ってパーティーで見せればどう思う？　少しぐらいは新しい仲間が増えるかもだろ？」

「まぁ、確かにそうですね」

「ただでさえ遅れてのスタートなんだ。中立の人間を少しでも刈り取らなきゃ、精々頑張った賞しかもらえねぇよ」

誰かの味方になるということは支持した人間の結末まで見送らないといけないと

いうことでもある。

溝に落ちようが、晴れやかなウイニングロードを歩こうが、支持した者はその後ろを歩かなければならない。

もしも泥に塗れてしまえば新しい王権で息苦しい立場を強(し)いられるし、逆に勝ち馬に乗れば新しい王権で優遇される。

これは決して王族だけの争いではない……国を支える貴族も、同じテーブルで賭(と)博(ばく)をしているのだ。

「あとは他の派閥に対して堂々と牽制をするっていう意味合いもあるんだろうが……ともあれ、今言ったことはあくまで憶測だからな。第一王女がそもそも国王に即位する気がなくて、どっちかの派閥に入るつもりなら味方集めの意味合いも変わってくるし」

やれやれドロドロだねぇ、と。ひとしきり言い終わったサクは肩を竦(すく)める。

一通り説明を受けたミーシャは納得する様子を見せると、お世話している堕落人にジト目を向けた。

「……招待状がきただけでそこまで分かる頭を持っているなら、もう少し頑張ったらどうです？」

「まったくだ、もっと言ってやってくれミーシャよ」

「嫌でーす、脳の過剰運動は向いてませーん」

興味のないことには使いたくない。

貴族の誇りも責務もまったく勘定に入れないサクは、なんとも我儘であった。

「っていうか、こんな手紙見せて何か用っすか？　父上がお外に出かけるのを手を振ってお見送りしろってことっすか？」

「その時はハンカチを用意しておかないとですね」

「感動のお別れ演出を引き立たせるために垂れ幕も追加でな」

あーっはっはっはー！　サクは上機嫌に笑う。

ミーシャも同じように笑いながら……サクの肩をがっしりと摑んだ。

「……お嬢さん？　どうしてわたくしめのお肩をお摑みになるので？」

「そういう気分だったんです」

「そ、そうか……」

そういう気分とは一体なんだろう？　成人男性を顔色一つ変えずに引き摺れる腕力を前にして、高笑いが一瞬で苦笑いへと変わった。

「俺はどうしようか迷った」

そんなサクをよそに、ルガンは神妙な顔つきで語り出す。

「ある程度諦めてはいるが、今更公に醜態（しゅうたい）を晒してもいいものか、と。だが、将来は家督を継ぐ者としてこのような経験は積んでおく必要があるのは間違いない」

「ちょ、ちょっと父上……？」

不穏な語り出し。

サクの背中に冷や汗が滲み、さり気なくミーシャの腕から逃れようと試み始めた。

しかし、流石はサクを引っ張ってきただけのことはある……さり気なくではどうしようもなかった。

「まぁ、結局は考える必要はなかった。何せ――」

そして、ルガンはサクに向かって今日初めての不敵な笑みを浮かべたのであった。

「私とお前宛ての招待状だ。さぁ、久しぶりの親子外出だ」

「散開ッ！」

サクはその言葉を聞いた瞬間、ミーシャの拘束を振りほどいて窓から飛び降りた。

「ちくしょう、こんなことだろうと思ったッ！」

「あっ、坊ちゃん！」

——それで、話は元に戻る。

とはいえ、夕食を食べるために屋敷へと戻らなければならなかったサクはすぐに捕まってしまったわけなのだが。

第二章　生誕パーティーで

小刻みに不規則なテンポでサクの体が揺れる。

視線を横にズラせば、馬車の車窓から移り変わる自然の景色が視界に入った。

見慣れない景色、馬車という前世では中々乗る機会のなかった乗り物を受けてもなお、サクの表情は晴れやかなものではなかった。

何せ——

「はぁ……どうして俺が王城なんかに」

あれから一ヶ月の月日が過ぎた。

馬車に揺られているサクは現在、王都に向かって移動している。

今はいつもと同じラフな格好ではあるが、足元にある大きなカバンの中には息苦しさとミーシャが気合いを入れて仕立て、選んだ礼服が入っていた。

もう少しでこれを着なければいけないのだと考えると、サクのため息は増えていくばかりだ。

「しかも、予定パッツパツ。今日だろ、第一王女の生誕パーティーって。前乗りとか余裕もって行動するとか、馬車馬の心構え的な選択はなかったわけ？」

公爵領から王都までは片道五時間。隣接している場所にあるため、移動には然程時間はかからない。

パーティーは夜に行われるため、一泊するだけで当日出発でも余裕で間に合うのだ。

それ故に、サクはパーティー当日に屋敷を出ることになった。

本人が嘆いているのは、カバンに入ったオシャンティーな服を即日に着なければいけないことと、王都観光ができなかったことだろう。

「だから私は言ったじゃないですか、前日に王都に行きましょうって」

対面に座るミーシャが暇潰しの刺繍を作りながら答える。

「けど、前乗りした公爵様の仕事を手伝わされるからってこのスケジュールを組んだのは坊ちゃんですよ？」

「せっかくの王都観光が……明日ならできるかな？」

「公爵様から逃げ切れたらできるでしょーねー」

滞在する際は、公爵家が所有する屋敷で一泊することになっている。

つまり、長居すればするほどルガンに捕まる可能性もあるわけで——

「……即日帰宅で」

「いえっさー、です」

ガタガタ、馬車の中が再び無言に包まれる。

いくら二人の仲がよくても、長い間同じ景色を見るだけであれば飽きもする。必然的に会話が止まってしまうのもおかしな話ではない。

加えて、サクの心は憂鬱（ゆううつ）色に染まりきっている。いくら外を眺めてもテンションが上がることはなかった。

「暇なら後ろからついてきてくれている騎士の皆様にありがたい騎士道を教えてもらったらどうです？」

「ここぞとばかりに、俺を更生させようとしないでくれます？ 俺、今一回も『暇だ』なんて言ってないですよね？」

「顔に書いてありました」

「……『世界』ですらそんなことできねぇよ」

世界？ と、サクの言葉にミーシャは首を傾げる。

「『世界』ってなんですか？　いや、言葉の意味は理解できるんですけど……私達のいる場所のことを言ってるんじゃないですよね？　発音違いましたし」

「あー……そういや、あんま広がってない言葉なのか」

ミーシャの疑問を受けて、サクは今更のように思い出す。

だが、暇だったからか……思い出したサクは言葉を続けた。

「『世界』っていうのは固有魔術（オリジナル）……まぁ、一種の魔術の別称だよ」

「固有魔術（オリジナル）ってなんです？　皆さんが使っている魔術と何か違うんですか？」

「そこからか」

だが、ミーシャはどこにでもいるような平民の女の子だ。

騎士でもなければ魔術師ですらない。既存の魔術ですら「そういうのがある」程度でしかミーシャが認知していないのもおかしな話ではなかった。

これ以上言ってもいいものだろうか？　サクは言い出してようやく言葉が詰まる。

この時代では固有魔術（オリジナル）という概念が消え失せてしまっていた。

故に、ここで固有魔術（オリジナル）の話をして「どうして知っているの？」と疑問を持たれたら誤魔化しが面倒だ。

（……いや、別にいっか）

文献で読んだとか適当なことでも言おう。

そう考え、サクは再び言葉を続けた。

「固有魔術（オリジナル）っていうのは、皆が使っているような魔術じゃなくて個人専用の魔術のことだ。といっても、もう今は誰も使ってなさそうだけどな」

「へぇー」

「そんで、『世界』っていうのは固有魔術（オリジナル）の別称。個人の色に染まった術式は世に与える事象が大きすぎるが故に空間そのものが変わったように見えるから、魔術師の界隈では『世界』って呼ぶようになったんだ」

固有魔術（オリジナル）は強力すぎる。

術者の潜在能力（ポテンシャル）を最大限引き出すことから、世に与える事象の範囲が広がる。

それは例外なくほとんどが一帯の空間を飲み込むほど。

だからこそ、固有魔術（オリジナル）が主流だったサクの時代には皆が『世界』と呼んでいた。

己次第でこの世すらも変えてしまえる、という意味合いも込めて。

「まぁ、俺もこれ以上は知らねぇよ。文献で読んだ程度だからな」

「そういや、たまにお勉強してる感出して本読んでましたね」

「なんか言い方に悪意ありません？」

しかし、『世界』を知っていることには納得してくれたようだ。

転生したあとのこの世を勉強するために色々と読み漁っていたことが功を奏した。

「そういえば、話は変わりますけど……坊ちゃんって第一王女様を見たことってあるんですか？」

「ないない、社交界に顔を出してこなかった俺が見ているわけないじゃん」

年齢が近いため、学園に通ったり、多くのパーティーに参加すれば顔を合わせる機会も傍から見られる機会もあったりしただろう。

だが、サクは遊ぶ時以外はほとんど引き籠り生活をしているようなものだ。いくら公爵家の人間だとはいえ、王族と顔を合わせる機会はそもそも生まれない。

もう少しサクがごく潰しから離れていれば一度ぐらいは見たことがあったかもしれないが、残念ながらフリーダムな彼にはその結果は訪れなかった。

「噂によれば超絶美少女らしいぞ」

「へぇー、それは見てみたいですね！　でも、パーティーに参加できないので見られないです」

「流石にメイドが入れる場所じゃねぇからなぁ。俺だけ面倒事に参加させられる褒美に美少女の顔でも拝ませてもらうとするよ」

王族が聞いていれば叩かれそうなセリフをサクは窓枠に肘を突きながら口にする。

「……けど、正直嫌でも拝む羽目にはなりそう」

「え？」

「今回俺が珍しくお呼ばれした理由。どうせ次期当主の俺を取り込もうって魂胆だろうからな」

リンゼル公爵家は、王位継承権争いにおいて中立の立場を取っている。

それは、公爵家というどこよりも大きな力を一方に片寄せることでこの争いのパワーバランスを崩してしまう恐れを考慮したからだ。

周囲が思っているよりも、公爵家の力というのは大きい。

ルガンが右に寄れば、下についている貴族も右に寄りかねない。別に寄ってもいいのだろうが、寄った結果で過剰な争いが起こってしまう可能性もある。

追い込まれすぎた人間ほど、何をするか分からない。

故にルガンは今現在に至るまで頑なに中立を決めていた。

しかし、次期当主であるサクは頑なに中立を決めているルガンと違ってそもそも意思を示してはいない。

上が取り込めそうにないのであれば、その下を狙う。

珍しくサクがお呼ばれした理由は、恐らくそういった意味合いが込められている。

「まぁ、パーティー始まったら速攻でトンズラするから問題ないがな！」

「誇らしげに言うもんじゃねぇですよ……」

はぁ、と。ミーシャは大きなため息を吐く。

目に見える下心に付き合っていられるか。変に肩入れして面倒事に巻き込まれるなんてごめんだ。

サクの頭の中には、どう今日のパーティーを切り抜けるかしか考えはない。貴族の体裁や誇りは二の次なのだ。

（誰かのために働くなんて、もうまっぴらごめんだね）

何せ、サクは彼女の分まで、幸せにならないといけないのだから。

時間は過ぎ、見上げれば煌めく星々が映り始めた頃を迎える。
二百人ほどは優に入れそうな王城のパーティー会場には多くの貴族がひしめき、耳心地のよい音色が響き渡っていた。

サクは馬車に揺られ公爵家の別荘へと辿り着き、ミーシャによって気合いに気合いを入れておめかしされた服装と化粧と共に王城へと足を運んでいる。

だが、それは第一王女の生誕パーティーが始まってすぐの時だけ。

有言実行、即行動。

サクは始まった瞬間にルガンの目を盗み、パーティー会場どころか王城の外まで逃げ出していた。

「よっこいせ、っと」

地面が何故か月明かりによって色鮮やかに輝く。

ガラスのような断片が少しだけ辺りに広がると、そこからゆっくりとサクは這い上がるように姿を現した。

「ちょっと陰に隠れりゃこっちのもん。まさかトンズラする時に極めた魔術が役に立つとか、前は考えたことなかったな」

サクの魔術——鏡の『世界』。

一つの物質である鏡を起点とし、解釈を深く注釈して世に与える事象の幅を広げた、サクのみが使用できる固有魔術(オリジナル)だ。

その魔術の一つに、鏡の中へ独自の空間を作り出し、入口と出口を設定することによって遮蔽物を無視して移動するものがある。

出入口の指定は目視、及び一度訪れた場所での設定が必要となるが、条件を加味しても利便性の高い魔術だ。

「今のご時世の魔術じゃ、この領域には手が出せない。イコール、誰にも捕まることはない」

加えて、サクがいなくなった程度で気にするのはルガンか、サクを目的としていた第一王女派閥の人間ぐらいだ。

いなくなったとしても大掛かりに捜索することもないだろう。

どうせパーティーに嫌気がさして遊びに行った……などと、風評通りの考えをするに違いない。実際に誘拐ではなくその通りなのだが。

「さて、どう時間を潰そうかね」

ふと振り返れば、王城の一箇所が淡くシャンデリアの光が零れている。

耳を澄ませば、王城を飛び出しているにもかかわらず賑やかな喧騒が聞こえてくる。

王家が住む根城の敷地は広い。王城から出ても、大きな庭園が広がっており、端から端まで移動するだけで数十分は時間を消費してしまう。

本当はこのまま公爵家の別荘に待機しているミーシャと合流して即時帰宅でもいいのだが、帰りは一緒に戻るようルガンに言いつけられていた。

サクのことをよく知っているルガンのことだ。こっそり抜け出そうとするサクが家に戻らないための牽制をしたのだろう。

一方で、サクもルガンがそう言うことは想定していたため、頭の中に「帰宅」という文字は存在していなかった。

しかし、暇潰しまでは考えていない。

堅苦しい服装に身を包んでいるためにどこかで寝ようとしても窮屈なだけだし、話し相手のミーシャもお留守番。

目下の難点は時間潰しに他ならなかった。

「……まぁ、せっかくだったら王城散策でもするか。見つからないように庭園限定で」

それで何時間も潰せるわけではないが、散策以外にすることもないのは事実。

サクは耳に届く喧騒を後ろに歩き始めた。

(流石、王家の箱庭。珍しいものが咲いてる咲いてる)

零れたシャンデリアと月の光に当てられた植物が姿を現す。

南でしか咲かない花に、そもそも希少な草木など。どうやったら手に入るのかと、農業を趣味で勤しんでいるサクは興味をそそられた。

意外と時間が潰せるかもしれない。サクは立ち止まって傍にある花壇を眺め始める。

その時、ふと聞こえていた喧騒が突然より一層騒がしくなった。

「なんだ……？」

賑やかなものではない。

楽しそうな声音ではなく、明らかに動揺と疑問が生まれているような感じ。

残念なことに距離があるため内容までは聴き取れないが、明らかに何かあったのだとサクは感覚で理解する。

それは過去に『何かあった』ことに対処していたからか。サクは一瞬だけ眉を顰める。

（様子だけでも見てくるか……？）

サクは足元に鮮やかな硝子を広げた。

潜って当初いた王城に戻れば、動揺を孕んだ喧騒をしっかり聴き取れる。

そう考えた瞬間、サクの背後から物音が聴こえた。

具体的には、何かが勢いよく通り過ぎていくような――

(……あ?)

先程までこの場には人影一つなかったはずだ。

もし誰かがいれば、見つからないようサクは逃げていたはずなのだから。

隠れていなかったということは誰も周囲にいなかったということであり、聴こえて音が徐々に遠くなっているということは遠くから誰かが走り抜けていたということでもある。

加えて、聴こえてきたのは王城の反対……つまりは、誰かがこの場から遠くへ行こうとしているということ。

(追うか……?)

勝手に足が物音の方へと進む。

このざわつきが聴こえた瞬間に誰かが逃げていくのであれば、どうにも無関係だとは考えづらい。

しかし――

「待てよ、俺」

サクの足が止まる。

「……なんで赤の他人の問題に首を突っ込もうとしてんだ」

もう前みたいに誰かを助けることはしないと決めた。

誰かのために奔走すれば、己の大事な人や己の幸せを守れなくなる。

あの時の悲劇は……もうこりごりだ。もう、誰の声にも耳を傾けず己のために自由な人生を歩んでいきたい。

だから、サクの足は止まった。

止まったはずなのに、何故か再び足が進み始める。

『間違って、ないからね……私の、愛しい英雄さん……』

脳裏に、こんな言葉が呪いのように浮かび上がってきてしまったから。

「あぁ、くそッ！」

サクが苛立つような叫びを上げた瞬間、真横に月明かりにあてられて輝くステンドグラスが姿を現す。

そして、サクは感情に身を投げるがまま拳で思い切りそのステンドグラスを叩き、割った。

「……これでいいんだろ、アリス」

その瞬間、サクの周囲一帯が一変する。

具体的には空間に亀裂が入り、足場が瓦解していくかのような——

「今日だけだ。今日だけ……お前が好きでいてくれた俺でいてやる」

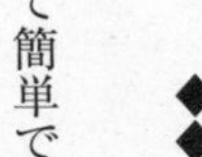

決して簡単ではない。けれど、こなせない仕事ではなかった。

ただ、一人になった女の子を城から攫い、依頼主の下まで送り届けるというお仕事。

汚れ仕事を請け負い始めてから十年……誰にも捕まらず、倒されず、殺されず生き抜いてきた。

裏社会で生き抜けたということは、それぐらいの実力を所持しているということの証左。

首を狙われ続ける環境では歳月＝実力で方程式が成り立つ。

故に、この男の実力は同じ裏社会で生きてきた人間の中でも頭一つ抜けていた。

加えて、今回受けた依頼に参加したのは計四人。金のために手を結び、綿密な計画を立てて遂行に向けて動く。まぁ、あとで大金のためにナイフを突き立てるかもしれないが。

裏社会の人間を四人も集めたということは、誘拐している人間が人間だからだろう。

だから油断はしない――そう、男は思っていた。

足場が崩れ落ちるまでは。

「ッ⁉」

何故、という疑問が浮かび上がってきた。

どんなことにも動じない自信はあるのだが、流石に足場が崩れ落ちるなんて驚くなというのが無理な話だ。

先程まで立っていた場所は建造物の上などではなく、ただの土の上だったというのに。

崩れ落ちる瓦礫が土砂のようで……どこか硝子の破片のようにも映る。

下を向く。底が見えない。眩く、すぐに地面が迫っているような感覚。横を見れば同じように同伴者が落ちていっている様子が映る。このまま落ちていいものか？　登れるか？　いや、無理。何せ端から端まで届きそうにもない。斜面が見当たらない。

（総じて、マズい）

だが、男は冷静だった。

肩に担いだ小さく華奢(きゃしゃ)で温かい感触。麻袋を被せているからか、先程からジタバタと暴れている。それが生きている証拠であり、任務続行を意味する。

抵抗されているが、男の腕力の中では無意味なようだった。

男が動じる様子も、煩わしいと顔を顰(しか)めている様子もない。

ただ、この現象に対してのみ――男は今日初めての動揺を見せている。

それは一緒にいた人間も同じなのか、落下の最中に初めて声を発した。

「おィ！　こっからどうすんだよ⁉」

パリン、と。足元に感触が生まれた瞬間、硝子が割れる音が反響する。

周囲を見れば、一緒にいた男達も同じように着地したらしく、首を振って周囲を見渡していた。

教会の上部にある光が射し込み眩く輝くステンドグラス。

着地した瞬間に目に見える世界は一変した——まるで右も左も分からない、亜空間にも閉じ込められたかのよう。

だって、誰が想像できるだろうか？　地面の下に、このような硝子の空間が広がっているのだと。

「ひとまず、この場から出ることだけ考え——」

そう、口にした瞬間。

『よぉ、気に入ってくれたか……悪党殿？』

空間に、異物が、入り込む。

「ッ⁉」

男は反射的に距離を取った。

どこに対して？　そんなの、決まっている。

『昔から人の悪意には敏感なんだ。いや、正確に言うと違うな……助けを求める声はよく耳に届く。お前ら、誰か攫ったな？』

空間の中央。そこから這い出るように姿を現す一人の青年。

一体何者なんだ？　そんな疑問が頭を埋め尽くす。

自身が把握できない世の現象が起こった場合――それは大抵魔術なのだと分かる。

何せ、魔術はこの世の事象に影響を与え、零から一を生み出すものであり、新たに生まれたものは自身が認知しているものではないことが多いからだ。

（しかし、魔術師にこんな芸当ができるのか？）

流石に誰に指摘されるまでもなく分かる。

今、目の前に広がっている現象を作り出したのはこの青年であることを。

しかし、このような規模の魔術など聞いたことがない。長く裏で生きていればいるほど、既存の魔術はある程度学園に入っていなくとも理解しているし、そもそも自分自身も魔術を齧っているために知識もある。

とはいえ、こんな規模……世界そのものを書き換えるような魔術などあるか？

使いこなすのが難しいとされる上級魔術ですら、ここまでの事象は引き出せない。

疑問、疑念、疑心。男の警戒心が一気に底上げされる。

それは他の男達も同じなのか――一斉にそれぞれ武器を構え始めた。

『助けを呼ぶ声に……敏感だから今まで我慢してきたんだ』

青年は一歩歩く。

足元のガラスを砕きながら。

『鏡映し。お前らを見ていると、あの時アリスを助けられなかった自分を見ているような感覚が襲うから』

その言葉が合図となった。

男達は一斉に青年に向かって走り出す。定石通り、しっかりと四方を取り囲み常に死角を作り出すために。

何が起こってるの？　少女の頭の中は混乱を極めていた。

ここまでを振り返る。まずはメイドの皆にドレスを着せてもらい、お化粧を整えたところからスタート。

緊張していた。何せこの舞台の主役が自分で、集まる全てが自分を目的として集まっていたのだから。

加えて、己に課せられた責任に対するプレッシャーもあった。

別に王位継承権なんてどうでもいい。

ただ、平和な日常を謳歌して最低限の責務を果たしていたかっただけ。

そのためには、自分に付き従ってくれる特別な人がほしかった。

付き従ってくれる……というのは少し言い方が違ったかもしれない。

自分の隣を歩いてくれる誰よりも信頼できる人がほしかった、それだけ。

それだけであったにもかかわらず、自分を持ち上げてくる人間が大袈裟に舞台を整え、いろいろ憶測されてしまいそうな状況を作り出した。

結局引くに引けず、少し解釈の違った目標が重圧として背中にのしかかったのだ。

そんな最中、唐突に少女の部屋に四人の男が現れた。侵入者である。

よっぽどの手練だったのだろう。瞬く間に護衛の人間も倒され、抵抗も虚しく少女は手足を縛られた状態で麻袋に覆われ、パーティーに出ることもなく攫われてしまった。

視界は真っ暗、音が微かに聞こえてくるだけ。

軽い抵抗ぐらいはしておこう――これぐらいの抵抗しかできないのだと相手に認識させ、隙を見て逃げ出すために。

（恐らく、狙いは第一王女って立場の私）

捕まってたまるか。誰の差し金か知らないが、思い通りの筋書きのまま終わらせなどさせない。

運ばれながら、少女は状況判断と誘拐された目的を推測をしていた。

しかし、しばらくして――何故か猛烈な浮遊感に襲われた。

（な……ッ⁉）

王城周辺の立地を知らないわけがない。

ここら辺は王国の中心である王都が広がっており、崖や谷といった土地の起伏はまったくないはず。

建物に飛び乗ったわけでも階段を上がった様子もなかった。

にもかかわらず、自分は宙に放り投げだされた。

そして、それから少しして聴こえてきたのは――

『よぉ、気に入ってくれたか……悪党殿？』

聞き慣れない、幼さの残る青年の声。

誰かが助けに来てくれたの？　いや、でも攫われてからそんなに時間も経っていない。

護衛が倒されてしまったあの状況で、誰かが追いつくなんてあり得ないはずだった。

恐らく、今頃ようやく自分がいないことを周囲が気づいて騒いでいる頃だろう。

（もうっ！　本当になんなの！）

更に現れた新手か？　思考を巡らせていると、唐突に少女の体は乱雑に放り投げられた。

「きゃっ！」

側部に走る少し鈍い痛み。

いきなり扱いが雑になったかと思えば、金属音と男達の叫びが聴こえてくる。

本当に何が起こったの？　いや、そんなことよりも。

（い、今がチャンス……）

あれから自分に何かをされる様子もない。

だから少女は口で小さく術式を唱える。

「【薄く鋭利に目の前の障害を切り刻め】」

風の魔術。難易度的には初級。初心者向けのチープなもの。

それでも麻袋を破るには充分であり、少女は己の手足を縛るロープ諸共麻袋を切り刻んだ。

ようやく広がった視界。

そこには——


『ふざけ……ッ！　こんなのいるなんて聞いてねェぞ⁉』

『がァ⁉』

『一体、どんな魔術を使ってやがる⁉』


色鮮やかな、ステンドグラスで覆われた異空間。

男達を取り囲むように無色透明の武器を振りかざす彫像のような人型の硝子の人形。

多勢に無勢とは正にこのことだろう。男達が剣を、ナイフを振り回しても、次から次へと新しい人形が動き出し、武器を振るう。

更に驚くべきは人形が壊されても、空間の違う部分からまた人形が這い上がってくることだ。

壊しても壊しても、湧いてくる異物。

男達は一人……また一人と、劣勢の中で血溜まりを作りながら地に伏せていく。

「嘘……」

信じられない現状に唖然としていると、少女の視界が一人の青年を捉えた。

『劣勢を覆してみろ、悪党⁉　このままじゃ、喜劇の途中に入る一幕にしか出番がなくなるぞ⁉』

無色透明の槍を持ち、一人の男と相対。

その顔は、記憶の片隅にある程度ではあるが、どこか見覚えのあるもので――

『クソッ！　公爵家のごく潰しがこんなこと……ッ⁉』

次々と倒されていく仲間の悲鳴が届いていたからか、相対している男の顔に焦りが浮かんでいる。

だが、流石は護衛をすぐに倒してしまった手練なのか、持っている剣さばきは凄まじいものであった。

そのせいで、何回か撃ち合っている間に青年の槍を持っている腕が斬り飛ばされる。

しかし、青年の顔は一つも変化していない。それどころか、笑みを浮かべたまま残った腕を振るって拳を叩き込んでいく。

『お見事！　だが総評三十点！』

そして、青年の腕から――新しいステンドグラスが生まれた。すぐさま、少年の元あった腕と同じ造形を整える。

『なんなんだ、その魔術はッッ!!!』

『時代遅れが嘆いてんじゃねぇよ。この程度、あの頃じゃ珍しくもなかったぜ！』

造られた腕には新しい槍が握られており、今度こそ男の心臓に突き刺さった。

『が、ハッ……』

致命傷を受けた男は力なく倒れる。

この決着がつく頃には、いつの間にか周囲にいたはずの男達は同じように地面へ倒れ込んでいた。

「す、すご……」

信じられない景色に、圧巻とした戦闘。

複数人いたはずの男達がまるで赤子。成す術もなく倒されてしまった。

少女は開いた口が塞がらなかった。

だが、それ以上に倒れた男達を見てこれ以上ないぐらいに安堵が込み上げてきて
――瞳に涙が浮かんだ。

「たす、かったよぉ……！」

状況判断、状況の打開。それだけに神経を注いで、少女は女の子の誰でもが抱く恐怖を無理矢理押し殺していた。

故に、押し殺していた分……解放された時には酷く膨れ上がってしまっている。涙を流し、我慢しなければ嗚咽(おえつ)を漏らしてしまいそうなほどに。

『あー……やっぱ遅れてんな、この時代の魔術は』

カツン、と。硝子を踏み締めるような音が反響する。

青年がやってきたのだと、少女はすぐに理解した。

だからこそ、すぐさま恐怖を再び胸の奥へとしまう。

見覚えのある顔だが、どこで見たかは思い出せない。容姿からして同じくらいの年だとは思うが、その程度。

もしかしたら、自分を狙っている刺客の一人かもしれないのだ。

安堵するには、まだ早い。

仮に、この青年が自分を狙っている人間だったら？　今の圧巻とする惨状を引き

起こした人間から、今度こそ逃げられるのだろうか？

（ううん、逃げないと。私はまだ死にたくない……ッ！）

少女はゆっくりと歩いてくる青年を前にして、腰を少しだけ上げる。

すると――

「へ？　ア、アリス……？」

何故か、青年は驚いた顔を見せた。

どうしてそんな顔をしているのかは分からない。

だけど、これだけは理解した。

（この人、私を知っている！）

――アリス・ルゼアーレ。

ルゼアーレ王国第一王女……それが、少女の名前だったから。

頭がパニックだ。

ただ昔みたいに拳を握って、誰かを助けただけだというのに。

「へ？　ア、アリス……？」

いつの間にか麻袋から顔を出していた少女。

艶やかな金髪が靡(なび)き、美しくもあどけない端麗な顔立ちが揺れる髪から覗く。

瞳の色は透き通るほどの澄み切ったアメジスト。潤んだ桜色の唇には目が引かれ、整った鼻梁(びりょう)には思わず固唾(かたず)を飲んでしまう。

間違いなく、この少女は女性の中でも群を抜いて美しい――ただ、その容姿があまりにも記憶にある女の子と酷似していた。

「どうして私の名前を知っているの？　またあなたも私を誘拐するの？」

少女――アリスは警戒心を剥き出しにする。

気持ちは分かる。誘拐されたばかりの時にまたしても知らない人間がやって来たのだから。

しかし、サクの心はそれどころではなかった。

唐突に、涙が伝った。

「………ッ」

サクは慌てて零れ始めた涙を拭う。

(やめろ、違うんだよこの子は……)

そうだ、目の前にいる女の子は違うのだ。

あの子は死んだ——大切な幼なじみだった少女は、二百年も前に自分の胸の内で死んだのだ。

己の体が転生して別の体になったように、摩訶不思議な現象でも幼なじみが生きて二百年も同じ容姿のままなどあり得ない。

他人の空似。偶然の一致。

ただ容姿が瓜二つで、名前も一緒。奇跡に等しい偶然の連続だが、同一人物という線はそもそもない。

それが分かっているからこそ、サクは湧き上がった感情を振りほどくかのように涙を消した。

「す、すまん……みっともないところを見せた」

「……変な刺客」

アリスは警戒心を滲ませたままジト目を向ける。

「それより大丈夫か？　どっか怪我してるとか……」

「私の体に何かあったら困るの？　商品として売るつもり？」

「いい値がつきそうだけどやめておこう。そういうの、結構嫌う人間なんだ」

サクは「よかった」と、とりあえずアリスの体に怪我がないことに安堵する。

浮かべている表情は、とても嬉しそうなもの。

その様子が伝わったのか、アリスの警戒心が少し薄くなった。

「もしかして、私を助けてきてくれた人？」

「じゃなかったら今頃君に何かしてるよ。まぁ、怪我がなくてよかった」

自然と零れる笑み。安堵からきたものだろう。

アリスはサクの表情が追い打ちとなったのか、心にしまっていた警戒心が解け、
そのまま地面へへたりこんでしまった。

「よ、よかったぁ……」

「おいおい、気持ちは分かるが……せっかくおめかしした服が台無しになるぞ？」

「だって……！」

しょうがないな、と。サクはアリスに手を差し伸べる。

手に取ってアリスはそのまま立ち上がろうと足に力を入れ——

「……腰抜けた」

「え、コメディ枠確保しにきてる？」

なんともスムーズに進まない事後であった。

「仕方ねぇ……文句言うなよ？」

アリスの手を肩に回し、サクはゆっくりと体を起こした。

背中越しには温かくも柔らかい感触が広がる。いきなりおぶられたのにもかかわらず、アリスは文句を言うことはなかった。

きっと、お世話になる気持ちと申し訳ない気持ちが乙女的な羞恥よりも勝っていたのだろう。

「ありがと」

「へいへい、どういたしまして」

「でも、どうやって戻るの？　っていうか、ここどこ？」

広がるのはステンドグラスが広がる眩い異質な空間。

見渡してもどこにも出口などなく、どんな手段を使えば外へ出られるのかアリスには分からなかった。

（本当は俺の『世界』は見せたくなかったんだけどなぁ）

サクの固有魔術（オリジナル）——『世界』は恐らく、この時代では異質だ。

異質ではあるが強大が故に、前世のように力を欲して群がる人間が現れてくる。

そうなれば、いよいよサクの自由すぎるスローライフは終わり。

力ずくでも自由な生活を送ればいいのだろうが、貴族社会というのは綺麗な部分だけが全てではない。

下手に抵抗すれば、ミーシャやサクの両親といった親しい周囲に迷惑がかかる可能性もある。

だからこそ、サクは今まで一度も……側付きメイドのミーシャにすら己の力を見せていなかった。

しかし、攫われている人間を前にして力を隠すなどどだい無理な話。

顔を隠して戦えばいい。それも一瞬考えた。

(だけど、そんなことすればこの子が怯えるし)

怖がらせたいから助けに入ったわけじゃない。

助けるだけ助けてあとは放置……というのも気が引ける。

故に、これは必要なことなのだとサクは割り切った。尋ねられるのも想定範囲である。

「もう一部始終を見られてるだろうから隠しはしないが、これは俺が作った空間だ。

元の場所に戻るなんて造作もない」

サクは小さく指を鳴らした。

すると景色が瞬く間に一変し、すぐさま見慣れた王城の敷地が眼前に広がった。

シャンデリアよりも眩く、美しかった景色は暗い庭園に変わり、見上げると静かな夜空が映る。

「さっきも思ったけど、君って何者？　私の知ってる魔術師はこんなことできないよ？」

「世の中って存外広いもんだ。自分の知っていることだけが全てってわけじゃない」

「……かっこつけ」

「歳頃の男の子だからな」

背中から呟かれる言葉を流して、サクは相変わらず騒がしさを感じる王城へと足を進めた。

王城から攫われてくる瞬間を目撃した、着ている服が明らかにパーティーへ出るドレスだった。それらを総じて、生誕パーティーの参加者なのだと判断する。

故に「あそこに連れていけば問題ないだろう」と思った。

「にしてもまだ騒がしいな……もしかして、お前がいなくなったからか？」

「多分そうだと思う」

「ふーん」

ということは、よっぽど爵位の高い家の人間なのだろう。

爵位の低い貴族が一人いなくなった程度ではさり気なく捜す程度で留まる。パーティーを中断させそうなほど慌ただしくはならないはずだ。

しかし、そんな結論に至ってもサクは態度を改める気はなかった。

「災難災難、残念だったな」

「あれ？　今の言葉を聞いても態度が変わらない。今までの人だと、私の立場を知ったらむせび泣きながら土下座なのに」

「分かってないなぁー、俺はこう見えても公爵家の人間なんだ。家督を継いでいる貴族ならともかく、同い歳ぐらいの女の子だったら敬う必要なんてないんだよ」

逆にそっちこそ態度を改めてくれ、と。サクは冗談めかしたように口にする。

だが、背中のアリスは首を傾げるだけであった。

「その主張で言ったらさ、やっぱり態度は改めるべきなんだよ」

「ん？」

「私、第一王女だし」

サクの足がふと止まる。

そして、ゆっくりと……恐る恐る、首を後ろへ向けた。

「……マジ？」

「マジマジ」

「ドッキリプロデュースの真っ最中じゃなく？」

「マジマジのマジ」

「…………」

……さて、これからどうしようか。

言われてみれば、パーティーを中断しそうなほど騒がれる人間ともなれば、最も有力な候補は王女ではないか。

その結論に至らず、己は今までどんな態度を取っていた？　なんか偉ぶっていなかったか？

貴族としてあまりらしくない行動をしてきたサクでも、流石にこればかりは理解している——王族に偉そうなこと言ったら普通にマズいよね、と。

だから、サクは一瞬で涙目になった。

「あ、あとで土下座するんでどうかご勘弁を……ッ！」

「何もしないよ⁉」

相対的に男としてなんとも情けない姿であった。

「はぁ……恩人に対してそんなことするわけないじゃん」

「そ、そうだとありがたいっすね……」

「逆に今までの口調の方がお姉さん的に助か――」

「おねえ、さん？」

「ふぅ……ふぅ……ッ！」

「王女様……わたしくめの、お首が……絞まっております……！」

年齢的にはお姉さん枠には入らないのだが、どうやらアリスの中では入っているらしい。

それを絞まった首の感触を味わったことで理解したサク。恩人があの世に直行コースだ。

「あ、そういえば私、君の名前聞いてなかった」

首を後ろから絞めていたアリスが唐突に思い出す。

「けほっ……サク・リンゼルです」

「えっ⁉　じゃあ、あの噂の公爵家のごく潰しって君のことだったの⁉」

アリスが緊張感のない様子で驚いた。

しかし、アリスが驚いた理由も納得できるもの。噂で聞く公爵家のごく潰しは怠惰で無能、常に自由気ままに学園にも通わず遊び続けるフリーダム。

助けてくれた時の姿からかなりかけ離れているため、聞いても「あー、確かになるほど！」と納得できるものは一つもなかった。

「知ってたんじゃなかったの？　っていうより、パーティーに呼び出したのはアリスだろうが」

「いやいや、基本全部周囲が勝手に呼んだだけだから。そもそも、君が社交界に顔を出してない時点で、顔と名前が一致するわけないじゃん」

「確かに」

アリスの主張に納得していると、いよいよ王城の足元までやって来てしまった。

ただ、聳(そび)え立つような門ではなく、どこにも入口が見当たらない外壁。灯台下暗しを体現したような、薄暗く喧騒だけがよく届く場所。

「そろそろ腰は大丈夫か？」

「うん、大丈夫だけど……てっきり門の中まで入ってくれるのかと思ってた」

「馬鹿ちん、自分で頑張りなさい。袖を振って帰宅すれば注目の的でしょうが」

サクはゆっくりとアリスの体を下ろした。

言っていた通りちゃんと腰は治っているらしく、そのままアリスは立ち上がったのだが――

「どうして？　あんまり自分で言うのもなんだけど、私を助けたってなったらヒーローだよ？」

確かに、王族を助けたともなれば称賛されることは間違いないだろう。

王家からも褒美を与えられるかもしれないし、後世にまで語り告げる名誉になる。

更には、サクの評判だって一変するだろう。

護衛の人間ですら手も足も出なかった相手に単身で挑み、勝利する実力は王家の騎士団や魔術師団も一目を置く存在となる。

一目置かれれば尊敬されるようになり、多くの活躍の機会が与えられることにもなる。

普通の人にとってはメリットしかない展開なのだ。

そう、確実に英雄扱いされる美味しい話。

だが、それはあくまで一般的な人間の場合である。

サクにとってはデメリットしかない。

金は充分にあるし、今更名誉も称賛も不必要。

なんのために今まで隠してきたというのか？　それらが瓦解する展開など、唾を吐いて捨ててしまいたい。

「嫌だよ、注目を浴びたら各種方面から引っ張りだこじゃん。そんなことになったら気ままなスローライフが没収……それだけは絶対に勘弁」

それに、と。

サクはさも当たり前のように口にする。

「何かがほしくて助けるわけがないだろ。その子が助かってほしいと思ったから、人助けっていうのはするもんだろうが」

ドクン、と。その言葉を聞いた瞬間……アリスの胸が一瞬だけ跳ね上がった。

（……なんだろ？）

よく分からない。

よく分からないが、ただ一つ言えることはある。

あの言葉を口にした時のサクの顔。そこには、嘘偽りが何も滲んでいなかった。

滲んでいなかったということは、本心からそう思っているのだという証左。

サクという青年は、誰もが持っていそうな下心というエゴを持ち合わせていない

――


（優しい人）

アリスは思わず小さく吹き出してしまった。

この人に対する印象がガラリと変わったが故に。

「んじゃま、気をつけて帰れよー」

「うん、分かった。本当に助けてくれてありがとうね」

「どういたしまして、次は誘拐されないように優しいパパでも増やしておくんだな」

そう言って、サクはゆっくりとアリスに背中を向けた。

しかし、すぐさま何かを思い出したのか、勢いよく振り返る。

「あ、そうだ！　マジで俺のことは他言無用だからな！　絶対に言うなよ！」

「……フリ？」

「切実な願望ですが何か⁉　大衆の笑いなんて狙ってねぇで、少しでも恩義を感じ

てんならマジで黙ってくれ！　頼むから！」

「言われなくても大丈夫だよ～！　私は恩を仇で返さない可愛い女の子なので！」

「……ならいいが」

じゃあな、と。今度こそサクは背にある王城とは反対方向へと進んでいった。

王城にある明かりに照らされているとはいえ、灯台下暗しのこの場所の周囲一帯は薄暗い。

少しすればサクの姿は消え、アリスだけ喧騒が耳に響く空間に取り残された。

「サク・リンゼルくん……かぁ」

アリスは土埃を叩いて王城の入口へと足を進める。

とりあえず、今はこれからのことを考えよう。

「さて、私を誘拐しようとしたのはどこのどいつかにゃ～？」

考えることは山積み、やらなければいけないことは沢山。

それでも、アリスの足取りは何故か軽やかだった。

第三章　自由に不純物

――あれから二週間が過ぎた。

結局、第一王女であるアリスの生誕パーティーは中断こそあれど滞りなく進み、正式に王位継承権を手にしたと周囲にアピールすることができたみたいだ。

一方でサクはそのまま王城の庭園を散策。誰にも絡まれることなく時間を潰せ、いきなりいなくなったことに対してルガンからお叱りを受けた件以外は何も問題はなかった。

――転生して初めて誰かの前で己の『世界』を見せたというのに。

まぁ、攫った男達に関しては己の空間で閉じ込め、あとで息の根を止めたが故にサクの固有魔術(オリジナル)が漏れることはない。

問題は、助けたアリスという少女が何を言うかなのだが――

(結局、約束は守ってくれたってことだよな)

今日も今日とて鍬を持って額の汗を拭うサク。

心地よい陽気の中でも今日は一段と清々しい日だ。

農作は捗り、額に滲む汗がまったくをもって不快には思わない。

耳を澄ませば小鳥の囀りが聞こえてくるし、誰も自分を邪魔しようとちょっかいをかけてくることも、噂話をすることもなかった。

そう、己の『世界』を第三者に見せたというのに、あれから二週間……一度もサクの実力は噂に流れなかったのだ。

サクが実は魔術師であったことですら、話題には挙がらない。アリスがしっかりと約束を履行してくれた証拠だ。

「うむうむ、懸念が晴れたあとの日々というのはなんとも心地いい！　そう、俺は自由人だ！」

懸念がない時ほど時間をよく味わえるものだ。

だからこそ、ここ最近のサクは一時憂いがあった分、晴れやかなものになっていた。

「坊ちゃん～、お客さんが来ましたよぉ～」

「Ｏｈ……」

とはいえ、フラグを立てた瞬間に回収されてしまったのだが。

「フラグ回収の早さよ。何？　世の中はスイーツのように俺に甘いんじゃなかったの？」

「どっちかと言うと唐辛子です」

「世の中は俺に厳しすぎるッ！」

自由気ままな生活を送っていたサクには充分甘すぎる世界だと思うのだが、鞭が与えられた瞬間手のひらを返す。

なんとも自己中な主人だなと、バケツ片手にやって来たミーシャは思った。

「いいから、お待たせしないで早く行った方がいいですよ」

「えー……別によくない？　今日はお引き取り願ってまた後世まで出直してくれって言おうぜ」

「せめて今世にしましょうよ」

一生来るなと言っているようなものである。

「っていうか、こんなごく潰し相手に用事がある人っているの？　自慢じゃないが、用件を持ってこられるほど人気はないはずなんだが」

「私もそれは今世紀最大の驚きだったんですけど」

「おい」

「本当に用事があるみたいなんですよ。今は公爵様が外出してて、夫人は別邸で暮らしています。坊ちゃん宛ての来訪じゃなくても、必然的に坊ちゃんが対応しなきゃなんねぇんです」

ルガンがこの公爵邸にいない以上、どう足掻いても一番対応しなければいけないのは公爵家の人間であるサクだ。

用件があろうがなかろうが、自分宛てだろうがなかろうが、客が来た時点で顔を合わせなければいけない。

心底嫌そうな顔を浮かべながら、サクはがっくり肩を落とす。

「……俺宛てだから俺が対応するけどさぁ、今は気分が乗らないから帰らせちゃダメ？　ほら、手が離せないとか言ってさ」

急に来訪したのは相手で、サクは貴族の中でも王家に次ぐ爵位を持つ公爵家の人間だ。

正当な理由ではないでっち上げとはいえ、タイミングが悪いと言えば向こうは帰らなければならないだろう。

しかし、それはあくまで公爵家よりも爵位が低い場合のみに該当する話であって

――

「第、、、、一王女様相手にそんなこと言えるわけないじゃないですか」

「はい？？？」

ミーシャの言葉に、サクは首を傾げる。

「ですから、第一王女様ですって」

「……マジです、か！」

サクは鍬を手放し、その場へ膝から崩れ落ちる。

確かに、これならどんな理由であれ対応しないわけにはいかなかった。

「そもそも、驚くのはこっちなんですけど。どうして第一王女様が自堕落坊ちゃんのために足を運んでくるんですか」

「若干心当たりがあるのが悲しい……ッ！」

脳裏に浮かんできたのは生誕パーティーでのこと。

実際の訪問内容までは分からないが、そこから生まれた関係の何かしらで訪問してきたのは間違いなさそうであった。

あの時助けたりしなければ……いや、それだとアリスが傷ついていた可能性もあるし。嫌でも、赤の他人を助けないといった今までを貫いていれば目に見える面倒事になんかならなかったのに——などなど、サクの頭に複雑な後悔と葛藤が渦巻く。

「まぁ、よく分からないことはあとでちゃんと聞くとして……とにかく、早く第一王女様のところに行きますよ」

「あー……泣きたくなる俺を可愛いメイドが慰めてくれなーい」

ミーシャはサクの首根っこを摑んで、そのまま屋敷へと引き摺っていく。

この構図はどこかで見たことのあるものであったが……この場でツッコむ者は誰一人としていなかった。

「お菓子うまうま〜！　あ、サクくんおかわりちょうだい！」

ミーシャによって連れてこられた応接室。

そこには艶やかな金髪を上機嫌に揺らす少女が座っていた。

先日の着飾ったドレスとは違い、今はラフな私服の格好。

揺れる髪からも分かる通り、ミーシャが出したのであろうお菓子を頬張る少女の顔には周囲が思わず和(なご)んでしまうほどの嬉しさが滲んでいる。

そんなアリスを見て、サクは――

「ミーシャ、塩持ってこい、塩を」

「私に撒くの⁉」

悪霊扱いをしていた。

「こんなキューティクルな女の子に塩を撒くって、サクくん最低だと思う！　女の子の扱いと女心をお勉強し直した方がいいんじゃないでしょうか⁉」

「講師は私が務めます」

「じゃあ、私は学園長！」

「シバくぞお前ら」

サクの額に青筋が浮かぶ。

相手が第一王女ではなかったら拳が飛んでいそうな顔だ。

「きゃぁー、怖いー」

アリスはそんなサクを前にしても上機嫌な怖がっている様子を見せるだけ。

こんな茶番に付き合わされるために呼び出されたのかと、サクは大きくため息を吐いて対面のソファーへと腰を下ろした。

それを見て、ミーシャはすかさず紅茶を淹れるために隅っこに移動。すぐさま茶葉を手に取る。

そして、紅茶ができ上がったタイミングでサクはゆっくり口を開いた。

「んで、今日はなんの用だよ？」

「用がなきゃ遊びに来ちゃいけないの？」

「もちろんだ」

「ひど～、他の人だったら絶対に言わないよそんなこと。社交界に出てないサクくんは知らないだろうけど、王女の私は皆のアイドル枠なんだよ？」

アリスが不満気に頬を脹らませる。

それを見たミーシャができ上がった紅茶をサク達の前に置いて疑問を口にした。

「坊ちゃん、さっきも聞きましたけど……いつの間に親しくなったんですか？」

「あぁ、それはな――」

「引き籠りのくせに」

「おいこら、メイドのくせに口が悪いぞ」

それほどミーシャが心を許している証拠である。

「私達の出会いはね……夕陽の見える綺麗な浜辺だったの」

「すげぇよ、脚色が」

「そこでサクくんが私に向かって熱烈なアプローチを……きゃっ♡」

「おぉ！」

「おぉ、じゃねぇよ盛り上がんなよ⁉　ツッコミどころ満載の色恋話に食いつくな。明らかにでまかせだろうが⁉」

今までボケ担当だったサク。今回は珍しく振り回されてしまっている。

だからこそ、ミーシャとしては少し楽しいのだろう。初対面の王族がいるにもかかわらずノリノリである。

「まぁ、正直に言ったらこの前の生誕パーティーで親しくなったの」

「そんなことだろうと思いました」

「そんなことって……メンタル鋼かよ、お前」

「坊ちゃんのおかげで鍛えられましたから」

もちろん、サクのおかげというのもあるのだろうが、それよりもアリス自身が茶目っ気溢れる女の子だと分かったからこそ砕けた態度になっているのだろう。

普通、平民でメイドの分際がこのような態度を見せればお叱りは確定。

しかし、そうなっていない。更にはアリスも不満気どころか嬉々としてミーシャに乗っかっている。

つまり、アリスとしてはこのような態度の方が望ましいのだろう。

そこの見極めができるミーシャは流石としか言いようがない。加えて、度胸も流石なものだ。

「それで、話を戻すけど……あれ、なんだっけ？」

「アリスが来た目的だ」

「あぁ、そうだった！　私が来た目的はね――」

「ちょっと待て」

アリスが目的を口にしようとした瞬間、サクが待ったをかける。

いきなりどうしたんだろう？　そうアリスが不思議に思った瞬間……サクの顔から表情が消えた。

「それはミーシャがこ、こ、この場にい、い、いても問題ない話か？」

「……ッ」

背筋が思わずゾッとするような低い声音。

初めて聞くような声に、名前を挙げられたミーシャは息を飲んでしまう。

恐らく、サクが言いたいのは己の魔術のことだろう。

親であるルガンにすら己の魔術のことは明かしていない。

もしも、あの時の――サク自身の魔術に関連する話であれば、サクはミーシャを退出させたい。聞かせたくないからだ。

加えて、そんな話であればサクはアリスを追い出そうと考えている。

力を欲する人間の話に乗っかるつもりはない。

もう、赤の他人のために拳を握ることはやめたのだから。

しかし――

「もちろん」

アリスは臆することなく笑みを維持したまま首を縦に振った。

サクの事情を把握していてもなお、問いに対して肯定を見せる。

転生しなければ、きっとこんな声が出るなんてサク自身思わなかっただろう。

冷淡、淡白。前世のサクですら誰にも発したことのないはずの声に恐れることがないのは流石王女といったところだろうか？　アリスも表情一つ変えない。

「私がね、サクくんに会いに来たのは――」

一つ、アリスは言葉に間を空ける。

それがことの大きさを表していると思ったのか、サクもミーシャも少し構えてしまう。

「サクくんを更生させるためなんだよ！」

だけど、それもすぐに終わって。

「はァ⁉」

「流石です、王女様！」

サクは突拍子もないことに驚き、ミーシャは感嘆と瞳を輝かせ始めた。

「ちょ、おまっ……何言ってんの⁉」

「私は思いました。サクくんは心優しい男の子で、やればできる子なのに皆から馬鹿にされるのはおかしいんだって」

サクの驚きを無視して、アリスは語り始める。

「でもね、確かに皆の評判は事実。調べたら、サクくんは遊んでばかりだったのです」

「否定できる部分がありませんからね」

「ぐうの音も出ないな」

三者の意見が合致する。

何一つとしてプラス要素がないところが悲しかった。

「だが俺は気にしない！　周囲になんと言われようともこのスローライフを維持――」

「だからこのままじゃダメだって思ったの！」

「聞いて」

「っていうわけで、サクくん。しばらくここ、で、お、お世話に、な、な、なるね、よろ♪」

「「……はい？？」」

今度はサクだけでなく、ミーシャまで首を傾げ始める。

しかし、それも当然――いきなりこの屋敷に住むと言われれば不思議に思うのもおかしくない。

それも、相手は第一王女だ。いくら公爵家が王家の次に爵位が高いとしても、よっぽどの公務がない限りは普通あり得ないことだ。

「……本当に待て。いきなりのことで頭がヤバいから少し整理させてくれ」

サクは唐突に与えられた情報の過多に目頭を押さえる。

「まず、なんで俺を更生させるって話になる？　言っておくが、俺は別に今までのままでいいんだぞ」

「サクくん的にはいいかもしれないけど、それだと後々困るよ？　将来家督を継ぐんだっていうのは知ってるし、周囲の評判を改善しておかないと各種方面からの反発が起きちゃう可能性だってある。だから私は心を鬼にしてサクくんを更生させるんだ……これはそう、恩返しなのです！」

「今世紀最大のありがた迷惑」

「私は超歓迎です！　まぁ、恩返しっていうのはよく分かりませんけど！」

恩返し、というのは先日パーティーで助けた時のことだろう。

サクにとっては言葉通りありがた迷惑なのだろうが、実際問題サクが更生するのはいいことだ。

周囲からの評価が上がれば、公爵家としてもプラス。家督を継いだあとの領地運営も捗るし、反感を買うこともなくなる。メイドの気苦労が減るのも更にメリット。

横で瞳を輝かせるミーシャとしては、無理矢理是非でも更生させてほしいというのが隠さない本音であった。

「それに、誰にも認められない人生より誰かに認められた人生の方が幸せだと思うよ」

アリスはにっこりと、心底そう思っているのだと分かる笑みを浮かべる。

しかし、それはサクの心には――

（認められたからといって幸せな人生なんて送れるとは限らねぇよ）

悲しいことに響かない。

何せ、それは道徳やら哲学やら説教に関心がないというわけではなく、実体験なのだから。

「あとは余談だけど……ちょっとこの前襲われた時の犯人が恐らく身内っぽくてさ、ほとぼりが冷めるまでどっかに避難したいっていうのもあるかなぁ」

「えぇっ⁉　王女様を狙ったのって身内なんですか⁉」

サクがアリスを助けたことは公表していない……が、襲われたことは公表されている。というより、いきなりパーティーから消え、護衛の人間が倒れている時点で事を説明、結果公表するしかなかったのだ。

「大方、新しい王位継承権者を脱落させたいって思っている他の人間の差し金だろ」

「って考えたんだけど確証がなくて調査が止まりました！」

「……んで、とりあえず分かってはないけど怪しい人間がいるところにいるのは危険だから、うちに避難しようって考えたのか。ちゃんと頑張って現場でミステリーのオチを見つけようぜ」

巻き込まれ事故じゃん、と。サクは大きなため息を吐く。

それを受けて、アリスは訴えるようなジト目を向けた。

「……言っておくけど、これってサクくんのせいでもあるんだからね」

「ハッ！　確かに！」

アリスの言う通り、こうなってしまったのもサクに一つ原因がある。

王城にいられないのは、犯人が分からない状況下で犯人候補が同じ場所に住んでいるからだ。

犯人が絞れているなら証拠を見つけて糾弾（きゅうだん）したり、徹底的に警戒することができる。

しかし、今回は候補が二人なために警戒は広げないといけない。加えて、調査が止まっているが故にいつまでも命を狙われているという状況が続いてしまっている。

本当は犯人を捜したい……のだが、最も情報を持っているであろう刺客はサクが殺してしまった。

殺した現場をアリスは目撃していない。

しかし、いつまで経ってもサクから何も情報が送られてこないということは殺してしまったのだろうと、アリスは推測して結論づけたのだ。

事実、サクはアリスと離れてから早々に始末してしまっているため、弁明も不可能。

結果的に、後先を考えなかったサクにも大きな原因があった。

「……もしかして、坊ちゃんが王女様を助けたんですか？」

「うん、そだよー！」

「おいっ！」

「途中までは私が倒したんだけどね、最後の一人は偶然居合わせたサクくんが不意打ちで倒しちゃったの♪」

だから親しくなったんだと、アリスはミーシャにウインクを見せる。

それを受けて、ミーシャは感心したようにサクに向かって拍手を送った。

（こいつ……！）

確かに、サクが秘密にしてほしいと言ったのは己の魔術に関すること。

これなら自堕落無能なサクがアリスを助けたことも、知り合いだということも理由がつく。実際問題、ミーシャは疑っている様子もないので魔術の件については触れられることはないだろう。

サクは内心ヒヤヒヤしていたが、ミーシャの反応に少し安堵した。

「以上がやって来た理由です！　っていうわけで、納得してくれたかな？」

「まぁ、一応納得はしたが……」

正直に言って、サクはあまり乗り気ではない。

自分から首を突っ込んだが故に起こった流れだが、あの一件きりで全てを終わらせたかった。

（面倒事の予感がするし、俺がお真面目ちゃんになるなんて……俺は遊んで暮らしたいだけだってーの）

だが、サクのせいでこうなってしまったのは事実。

追い返そうとしても、命を狙われて避難している……となれば、見捨てるのもおかしな話。サクのおかげであの時の命が助かったのだとしても、狙われた原因を不明にしたのはサクなのだ。

その責任を感じたからか、サクは大きなため息を吐いて折れてしまった。

「分かったよ……屋敷にいさせるのは許可してやる」

「やった！」

「だが、更生云々の話は却下だ！　俺は自由に遊んで暮らしたい！」

ビシッと、サクはアリスに指を突きつける。

これだけは曲げられないのだと、俺は譲る気はないのだと、そのような気迫がありありと見て取れる姿で。

「うん、頑張って更生させるね！」

「やだこの子会話のキャッチボールができないっ！」

だが、アリス相手には伝わらなかったようだ。

「第一王女様がしばらく滞在するのであれば、客室を改めてお掃除しなくちゃですね」

「あ、別にいいよいいよ～、お構いなく！　私はどこでも寝られるタイプの女の子なので！」

「……俺が言うのもなんだが、アリスって王女様って感じしないよな」

豪華な室内にフカフカのベッド、全てにこだわりそうな王女様……ではなく、あまり気にしない自由奔放な女の子。

誰よりも贅沢をしていて、誰よりも優遇されることに慣れていそうな王族とはとても思えない発言だ。

「あんまり敬われるのとか、気遣いされるのって好きじゃないんだよねぇー。むず痒い？　っていうか、申し訳ないなって」

「王女、向いてないんじゃないの？」

「むぅ～、私でも思ってますよー、だ！　だからぶっちゃけ、私は王位につこうなんて考えていません！」

「だったら、早いうちに王位継承権を破棄したら？」

「破棄しちゃったら、上のお兄ちゃんどっちかの派閥に所属しないといけないじゃん？　中立ほど両者に干渉される立場ってないわけだし。だけど、どっちの派閥がいいかなんてまだ見極められてないし」

王位継承権を手にしていない人間ならともかく、王位継承権を手にした人間が一度手放すというのは大きな意味を持つ。

手放したくなるほど、両者のどちらかに肩入れしたいか。

実際は興味がないだけだとしても、周囲がどう思うかは分からない。それ故に、周囲の「推したいからこそ手放した」というステータスを求めて両者はアリスを取り込もうと画策する。

そうなれば、今まで以上に干渉されること間違いなしだ。

よっぽど第三勢力として立っていた方が干渉されることもなくなる。

「ふぅーん……王族っていうのも面倒くさいな」

「サクくんが私の味方になってくれたら嬉しいな♪」

「やめろ、俺を王族の泥沼に巻き込もうとするな。地の上を歩いていたいの、俺は」

ぶぅー、と。アリスは頬を膨らませる。

その姿を見て、サクは——

（……ほんと、似てるよな）

かつて共にいた女の子と。

似ているからこそ、やはりどうしても懐かしく思えてしまう。

ふと、サクの脳裏に昔の光景が過ってしまった。ほんの少し。ちょっとした一幕。

人助けのために幼なじみと共に旅をしていた時の光景——

「サクくん、サクくん！　たまにはゆっくり街に出て遊ぼうよ！」

眼前に可愛らしい少女が映り込む。

艶やかな金髪を揺らし、可愛らしく少し大人びた端麗な顔立ちが迫ったことに少しだけ胸の鼓動が早くなった。

「いや、でもさ……最近、人攫いが増えてるって話だし、見回りをした方が――」

「そういう優しいところはいいと思うけど、警備のお仕事とか衛兵さんのお仕事じゃん！」

宿で借りた個室。

上質とまではいかないベッドに座っていたサクの隣に、金髪の少女は腰を下ろした。

「働き詰めはよくないよ？　街へ出て遊ぶことも大事！」

「だがなぁ……」

「もうっ、サクくんってば頑固者！　優しい子！　かっこいい子！」

「それは怒ってんのか？」

後半はストレートに褒めているようにしか聞こえなかった。

「……やっぱりやめるよ。遊んでいる間に誰かが傷ついたってことになったら、多分後悔するから」
そう言って、サクは幼なじみの横から離れた。
立ち上がって、いつも羽織っているマントを手に取る。
そんな姿を見て、少女は――
「ぶぅー」
可愛らしく頬を膨らませるのであった。

さて、第一王女であるアリスが滞在すると決まってからは、屋敷の中は慌ただしくなっていた。
公爵家の騎士達は警備を厳重に固めるようスケジュールを調整し、使用人達はアリスが快適に暮らせるようおもてなしの準備。
ミーシャもおもてなし部隊に駆り出され、久しぶりにサクの下を離れて仕事をしていた。
一方で、サクは――

「さぁ、サクくん！　今までしてこなかったお勉強を……って、なんでこんな場所でこんな真昼間から寝っ転がってるの？」

「ん？　昼寝をするためだが？」

昼寝の準備をしていた。

公爵家の敷地内。屋敷の比較的傍にある丘の一本木の根元。そこでシートを敷いて今まさに堕落サクくんは横になって寝ようとしている最中であった。

「そっちこそ、どうしてこんなところにいるんだよ？　あんまりうろちょろしてると、それこそ誰かに襲われるぞ？」

「そこは大丈夫！　強い強いサクくんが傍にいるから！」

「そんな強い強いサクくんはお昼寝するから」

王女の接待を放置して瞼を閉じ始めるサク。

アリスは頰を膨らませると、睡眠妨害お構いなしにサクの体を揺する。

「起きてよー！　このままじゃ私はお暇な時間を過ごさなきゃいけないんだよー！」

「なら屋敷に戻れよ」

「皆私のために忙しそうで、そんな中で遊んでたら申し訳ない気持ちになるんだよ

おー！」

逆に忙しそうなところで「手伝う」と言えば「王女様にそんなことはさせられない」と突っぱねられる。

当主である主人は外出中。となると、暇な時間に相手をしてもらうにはサクを叩き起こすしかなかった。

「起きてもいいが……何するんだ？」

「え？　お勉強」

「却下」

「なんでだよー！」

やんややんや。アリスはサクの耳元で駄々をこねる。

すると、あまりにも騒がしいと思ったサクは唐突に地面を小突いた。

少しだけ耳元に硝子が割れる音が聞こえる。

そして、サク達の真横に小さな穴がポンと現れた。

「なら、この中に入っとけ。自分で言うのもなんだが、綺麗な場所だぞ」

「……綺麗なのは認めるけど、これってどうやったら出られるの？」

「俺が起きたら出してやるよ」

「ねぇ、それって幽閉となんら変わりないからね？」

いかにも面倒だという空気プンプンのサクに、アリスは大きなため息を吐いた。

「はぁ……王女扱いしないでってお願いしたのは私だけどさぁ、もう少し女の子的にも構ってくれたら嬉しいなーって思うアリスちゃんです」

「だったら、その手に持っている教材とペンを地面に埋めてくれ」

「いやっ！　私はサクくんを更生させるの！」

「だから俺が構ってあげないっていうのを理解してほしいんですけど？」

仕方ないと、サクはゆっくり体を起こす。

ようやく勉強をする気になったのか！　アリスは瞳を輝かせるが、サクは首を横に振ってにっこりと笑う。

「そこまで言うんなら、遊びに行くか」

「なんで⁉」

勉強という選択肢が提示されず、アリスはサクの肩を激しく叩く。

サクはそんなアリスの可愛らしい仕草かつほどよく痛い攻撃を受けながら、少し真面目な表情をアリスに向けた。

「まぁ、待て。これにはちゃんとした理由がある」

「理由？」

「そうだ」

ごほんと、サクは一つ咳払いを入れる。

「俺は現状、どういう理由であれ体裁的には『成人祝いで公爵家が招待し、アリスが受けてうちへ遊びに来た』ということになっているよな」

命を狙われている可能性があるから公爵家に避難した——などと公にはできない。

善良な国民は王位継承権争いが血を肯定したものだとは思ってはおらず、そんな話が漏れでもすれば命を狙った人間だけでなく王族全体への不信へと繋がる。

かといって、お忍びというのも難しい話。

いつまでアリスが王城へ戻られないか分からない現状、周囲にアリスの存在がバレるのは時間の問題になる可能性が高い。

いくら「サクを更生させるんだ！」という褒められた行いでも、王族がどこかへ滞在するには真っ当な理由が必要。ある程度誰もが納得しそうな理由を提示しておく必要がある。

故に、今回は公爵家がアリスを招待した——という体裁で滞在を進めることになった。

「うん、そうだね」

「だからこそ、俺はアリスに街を案内する必要がある！　公爵家の次期当主として！」

「体裁は所詮体裁じゃん」

「身も蓋もないことを言うんじゃありませんッッッ!!!」

体裁だからこそ守る必要もないと考えるアリスちゃんであった。

「お勉強して損はない！　知識は財産って皆言ってるよ!?」

「えー……っていうか、領地運営の勉強はそこそこしてるぞ？　面白いし」

「なら、地理や歴史、数学にマナーをプラスすれば――」

「すっげぇ興味をそそられない羅列」

「歳下の女の子にここまで言われて、男の子的に恥ずかしくないの？」

やれやれ、と。アリスは肩を竦める。

噂は聞いていたものの、まさかここまで意固地だとは思わなかった。とはいえ、周囲の声を押し切って十数年も同じような堕落っぷりを見せていれば容易に動かないのは想像に難くないはず。

それでも今一度認識を改めることになったのは助けてもらった補正フィルターで

もかかっているのか？　いずれにせよ、アリスは諦めるつもりはなかった。

（絶対に私は諦めない！　今はよくても、あとあと苦労するんだもん！）

それに――

（……誰からも認められないのは、寂しいよ）

言ってもサクの胸には響かないだろう。

まったくしょうがないやつだ。アリスは欠伸をするサクの横に腰を下ろした。

「じゃあ、街を案内してよ。私、あんまり公爵領に足を運んだことないから」

「そうなのか？　近いだろ、うち」

「近いからといってよく足を運ぶわけじゃないしね。学園に通ってたりしたし、王女としての習い事や公務もあったりであんまり遊ぶ機会なかった」

「あれ？　そういえば学園は？」

学園は貴族御用達の教育期間であり、そこへ通う生徒は主に十四歳から十七歳までの三年間。

サクはもう仕方ないとしても、アリスの年齢であれば学園に通っているはずの年齢だ。

なのにどうしてここにいるのか？　事情はあるにしろ、いつまでか分からない期間ずっと学園をサボってもいいものなのだろうか？　自分のことを棚に上げるサクは不思議に思う。

「私、飛び級で卒業してるよ？」

「うそーん……」

「ふふんっ！　だからサクくんにお勉強を余裕で教えられるエリートちゃんなんです、どやぁ！」

アリスは可愛らしく胸を張る。

小柄で愛嬌滲ませている顔立ちをしているからか、その姿はとても愛らしく映った。

サクはそんな姿のアリスを見て、思わず彼女の頭に手が伸びる。

「えっ？」

「あっ」

撫で始めた手を受けて、アリスだけでなくサクも驚く。

どうしてこんなことをしたのだろう？　サクは慌てて手を引っ込め、誤魔化すように立ち上がった。

「よ、よーしっ！　なら早速俺が街へ案内してやろう！　ごく潰しとまで言われた俺の堕落スキルを伝授してやるぜ！」

急いで先を歩き始めるサク。

その後ろを、何やらからかうような笑みを浮かべるアリスが続く。

「別に撫でてくれてもよかったのに～、サクくんはこのキューティクルな頭を撫でたかったのかにゃ～？」

「う、うっせぇ！」

からかわれたからか、サクの顔が一気に真っ赤に染まる。

その姿がとてもおかしくて、アリスは吹き出して大きく笑い始めてしまった。

（あー、くそっ）

やっぱりアリスに似ている。だからこんなことをしてしまったんだ。

サクは誰にも聞こえないはずなのに、内心で言い訳を始めるのであった。

公爵領の中心の街は屋敷から馬車で片道数十分と、比較的近い場所にある。

リンゼル公爵家のお膝元だから当たり前と言えば当たり前だ。領地を治める者が、遠く離れた田舎に構えるわけがない。

街は国一番の王都の次ぐらいに栄えており、その理由の最たるところはやはり王都から出てきた商人や貴族、平民が次に寄る場所として認知されているからだろう。

そのため、宿泊施設だけでなく娯楽施設、豊富な商品を扱う多種多様な店などもあり、極めて充実している場所だ。

まさに、遊びに行くにはもってこいの環境。

おかげで、サクは転生してからの毎日を飽きずに過ごすことができていた。

「ほぇ〜、結構栄えてるんだねぇ〜」

馬車を降りたアリスは感心したように辺りを見渡す。

結局、昼寝も勉強もしなかったサク達は街へとやって来ていた。

体裁としては、足を運んだアリスに街を案内すること。本音は勉強勉強とうるさいアリスの話から逃げること。アリスサイドの本音とすれば「仕方ないから付き合ってやろう」というものであった。

「坊ちゃん、私って結構お忙しい人間なんですよ」

サクの隣に並んだミーシャがジト目を向ける。

「アリスも同年代の同性がいれば楽しめるかなって思って」

「どこかのタイミングでアリスをミーシャに押し付けたいな、と」

「だろうと思いました」

はぁ、と。連れてこられたミーシャは大きなため息を吐く。

いきなり来訪したアリスをもてなす準備で、ミーシャを含めた使用人達は大忙しだ。

それが分かっているからこそ、サクも少なからず罪悪感はある。あとでお給料アップを父上にお願いしてみようと、内心で思うほどに。

「んで、アリスは何かしたいこととかある？」

「ほぇ？　ちゃんと案内してくれるの？」

「体裁がそうだからな」

「んー、そうだなぁ……」

腕を組んで、アリスは頭を悩ます。

「よく分かんないから、サクくんのお任せコースを希望かなぁ」

「ふむ、そうなると娼館……」

「おーっと、手が滑りましたァ！」

「ぶべらっ⁉」

偶然、偶然滑らせたミーシャの手がサクの頬に突き刺さる。

その威力はとても滑らせたとは思えないほど強烈なもの。思わず仰け反ってしまったサクは涙目を浮かべてミーシャを睨む。

「痛いっ！　父上に何度も殴られたことはあるけど普通に痛い！　滑らせたという言い訳がまったく無意味に感じるほど痛い！」

「坊ちゃんがいやらしいところに王女様を連れて行こうとするからでしょうに」

ごもっともなツッコミであった。

「まぁ、ご休憩なら私は許可しますけど」

「待て、ご休憩の方がマズい。なんてところでヤるんだ以前に関係性がマズい！」

「ふぇっ？　サクくんとご休憩したらダメなの？」

「ピュアっ子はお黙り！」

未だご休憩の意味を知らないアリスは首を傾げる。

ようやく成人した年齢だからか、そういう知識はこれから学んでいくようだ。

「ごほんっ！　とりあえず、ぐるぐる市場を回ってみるか。来たばかりの人間からしたら、それだけでも物珍しいだろうしな」

「さんせー！」

「了解です」

そういうわけで、人混みの多い場所へ向かっていくサク達。

馬車で降りた場所は街が日中に開く市場の前だ。

そのため繁華街よりも人混みが激しく、賑やかな喧騒が嫌というほど伝わってくる。

小物や食材、何かと信憑性を疑ってしまう占い、小さな芝居など、王都の次に栄えている場所として恥じないほどの豊富さである。

故に、アリスは歩き始めてすぐに瞳を輝かせながら辺りを見渡していた。

「お菓子……焼き鳥……パイ……」

輝く瞳の原因は全て食べ物のようだが。

「おい、あんまり食いすぎるなよ？　お夕飯食べられなくて泣いても俺は知らんからな」

「こ、子供扱いしないでっ！」

「明日も来れますからね、王女様？」

「ミーシャちゃんまで私を子供扱いッ！」

いいボケだ、と。サクのサムズアップにミーシャもサムズアップを返す。

この二人、相手が王女だということを普通に忘れているようだ。

「そもそも、王都にも珍しい食べ物とかいっぱいあるだろ。ここにはここの物産とかはあるが……」

「王女がそう簡単に遊びに行けるわけないもん」

「もっと聞かせてやりたいセリフですね」

「誰に対して、という部分にはあえて聞かないでおこう。けどまぁ、言われてみればそんなもんか」

貴族……それも、王女ともなれば自由は少ない。

王女はこの国に住まう人間の中で誰よりも優先順位が高く、誰よりも狙われやすい立場。

安易に外へ出るとどんな危険が待ち受けているか分からない。

遊びに行くだけでも護衛を用意しなければならないし、そう簡単に外へ出ることもできないのだ。

もちろん、遊び人サクは例外中の例外ではあるが。

「ほんとは今だって、結構護衛の人に止められたんだから……」

サクくんが実力を隠すから、と。アリスはジト目を向ける。

それをサクは肩を竦めて華麗に流した。

「説得してやったんだからそう見つめるなって。そんなことより、今日という日を楽しもうじゃないか」

「……私もそろそろ本格的に公務が始まるから、確かに楽しまなきゃだけどさぁ」

「そういえば、王女様の公務ってなんなんですか？」

不思議に思ったミーシャがアリスに尋ねる。

つい屋台へ視線を向けていたアリスは一つ咳払いを入れて答えた。

「成人した王族はね、例外なく王国中の魔物を討伐しに行かなきゃいけないんだよ」

「それって、衛兵とか騎士のお仕事じゃないんですか？」

「形だけ……って言い方をしたら悪いか。貴族は国民からの税金で生きている。だから、国民を守る義務があって、その頂点たる王族も例外じゃない」

「だから、頻繁にはしないけど魔物を討伐しに行かなきゃいけないんだ。もちろん、護衛の人とか冒険者とか雇ってね」

「へぇー、そんなことをするんですね」

頻繁には行わないが、ある程度「国民を守っています」というアピールが必要。

そうでなければ、国民は王族に対して「仕事はちゃんとしているのか？」などといった疑念を生んでしまう恐れがある。

本来は何か仕事をしていたとしても、国民からしてみれば国の運営などよく分からない話。

だからこそ、分かりやすい何かを提示してあげる必要がある。

「だったら、王女様も剣とか魔術とか勉強してるんですか？」

「してるよ。こう見えても、魔術に関してはプロの魔術師並みにできるんだから！」

しかし――

「……まぁ、どこぞの誰かさんを見て少し心が折れそうだったけど」

「ん？　どうして坊ちゃんを……」

「こらこらこら」

「いひゃいいひゃい」

視線を向けられたからか、サクはアリスの頬を軽く引っ張る。

やかましい口はいつ自分の魔術を話すか分からないから恐ろしい。

「ひゃくくん、ひゃくくん」

「なんだ？　言い訳なら屋敷に帰ってからでもいいんだぞ？」

「あれひゃべひゃい」

そう聞き取れそうにもないことを言いながら、アリスは出店の方を指さす。

そこには、香ばしい匂いを放つ串焼きが卓に並んでいた。

「あれを買ってくればいいんですかね？」

「一応、あんぽんたんな王女様のご要望だ。買ってきてくれ」

「あいあいさー」

ミーシャは懐からお金の入った袋を取り出し、出店の方へと走っていった。

その背中を見送り、サクはアリスの頬から手を離す。

「まったく、お前の口は軽すぎる」

「いてて……助けてもらった私が言うのもなんだけど、別にバレてもいいんじゃない？　特にあの子にはさ」

アリスも人混みに紛れていくミーシャの背中を見る。

「少しの時間だけしか接してないけど、サクくんとミーシャちゃんが仲いいのは分かるよ。だからこそ、君ってあの子が危険な目に遭ったら絶対助けようとするよね？」

サクにとって、ミーシャは転生してから出会った数少ない大事な人だ。

あの時の後悔を二度としないよう、どんなことがあっても手を伸ばそうとする相手。

深い事情までは知らないだろうが、アリスはそれを感じ取った。

「だったらさ、彼女を安心させてあげたら？　いざという時に、立場が邪魔しちゃうかもよ？」

強いと分かっていれば、己が危機的状況に陥った際に声を出すだろう。

しかし、分かっていなければ憚られる。何せ、手を伸ばしたいと思っている相手は自分が仕える人間で、親しい人間なのだから。

親しいからこそ傷つけたくない、巻き込みたくない。サクが抱いている感情を、ミーシャも持っている可能性は高い。

声を出してもらわなければ、手を差し伸べることができない場面だってあるのだ。

「……理屈では分かってんだよ」

サクは拗ねたように口にする。

その姿を見て、アリスは少し苦笑いを浮かべた。

(抵抗、あるんだね)

頑なに実力を隠す理由。

初めは「面倒事に巻き込まれるのが嫌だから」というだけだと思っていたが、今の表情を見て少しだけ認識を改めてしまう。

ただ、それが何かは分からない。きっと、言ってもらわなければ分からないだろう。

何せ、サクにとっては実力を見せたことによって、自分の手が色んなところに伸びてしまうから……肝心な時に守りたい人間を守れないという事態を恐れているからに他ならないから。

こんなこと、言ってくれないと分からない。

英雄だからこそ抱いた懸念と焦燥、不安が入り混ざった抵抗など、この世の誰も分からないはずだ。

だが、分かっていることとして——

(……本当に優しい人)

どうしてそう思ってしまったのか？　アリス自身でも不思議であった。

たった少しの時間しか接していないはずなのに、何故こんなにも理解したような気持ちが胸の内へ押し寄せてくるのか。

(分かんないけど、私がなんとかしてあげるしかないね！　サクくんの悩みは私の悩み！　恩はしっかり返します！)

メラメラと、瞳に闘志を燃やすアリス。

いきなりやる気に満ち溢れた表情に疑問を覚えるサクであったが、話が逸れてくれそうなためにあえてツッコむことはしなかった。

「私、頑張るね！」

「何を？」

我慢できなかった。

「そりゃ、サクくんを――」

「お待たせしました〜！」

アリスが何かを言いかけた時、二人の下へ紙袋を下げたミーシャが駆け寄ってきた。

おかげで言葉の続きを聞かずに安堵したことはサクだけの内緒話だ。

「いやぁ、なんかお安くしてもらえちゃいました」

「ふぅーん、きっとミーシャのあまりの可愛さに、おっさんが鼻の下を伸ばした結果なんだろうな」

「おっと、坊ちゃん……照れちゃいますよぉ」

「いや、可愛いのは本当だろ」

「ほ、本気で照れちゃうのでその辺にしましょう！」

頬を赤らめて、ミーシャがサクに紙袋を押し付ける。

その際、ミーシャの顔は言葉通り照れによって真っ赤に染まっていた。

そんな姿を見て、アリスは唐突にサクの袖を軽く引っ張る。

「ねぇねぇ」

「ん？」

「私は？」

なんで張り合うんだ、と。サクはげっそりとした表情を浮かべた。

しかし——

「そりゃ、アリスもかわい……」

何故か、言いかけた言葉が詰まる。

どうしてだろうか？　何故か真正面から口にすると一気に気恥ずかしさが湧き上がってくる。ミーシャに対しては平気だったはずなのに。

「私、可愛い⁉」

「あ、あぁ……」

「やったー！」

言いかけた言葉はほぼ最後まで言い切っているのとほぼ同義な場所まで来ていた。

それ故に誤魔化すことができず、サクの言葉にアリスは嬉しそうな笑顔を見せる。

（そういや、前からアリスを褒める時は抵抗あったな……）

もちろん、アリスとはサクの幼なじみだったアリスの話だ。

恐らく、色々と似ているからこそ同じような気恥ずかしさを覚えたのだろう。

サクは困ったように、少しだけ朱に染まった頬を掻いた。

「んで、結局なんで安くしてもらったんだ？」

「王女様に食べさせてほしいからみたいですよ。お二人は気づいていないでしょうけど、今私達って結構注目の的です」

サクは辺りを見渡して、皆の視線が全て集まっていることに今更ながら気がついた。

アリスはお忍びする気がなかったことから、サクと同じでなんの変装もすることなく市場を歩いている。誰からも一発で王女だと分かる格好だ。

確かに、一国の王女がやってくれば興味関心が寄せられるのは必然だろう。

「流石はアイドル枠。歩けば馬鹿にされる俺とは扱いが雲泥の差だ」

「日頃の行いだと思いますけどね」

「アイドルなんて照れる～♪」

「次は変装必須だな」

アリスが上機嫌な様子で周囲に手を振った。

それだけで周囲から歓声が上がってしまうのだから、本当にアイドルのようだ。

「んで、今最もホットなアイドルさんはこのあとどこに行きたい？」

ミーシャから紙袋を受け取ったアリスは瞳を輝かせる。

「やっぱり、美味しいものをたくさん――」

「よし、今日の夕飯は簡素にしよう」

「食べすぎでお腹壊したら責任問題ですからね」

「自重するけども⁉」

子供扱いすんな、と。アリスはサクの胸を軽く殴り始める。

やはりアイドル枠にいる人間だからか、少しの行動だけでも可愛らしく映ってしまうのだから近くにいる人間は程よく困る。

とはいえ微笑ましく思ってしまったため、サクもミーシャも思わず笑ってしまったのであった。

ある意味観光という見方もできる街散策も、結局小一時間ほどで終了した。

というのも、食べ物ばかり口にしていたアリスのお腹がいい感じに膨れてしまい、このままでは夕飯が食べられなくなると危惧(きぐ)したサクが帰宅を促したのだ。

本来「仕方なく」でついてきたアリスが「やだ、帰りたくない！」と駄々をこねた時は困ったものであった。これでは遊びたかっただけのサクが引率しているようである。

しかし、そんな楽しい一時も終了して現在日も暮れ、サク達は大人しく屋敷へと戻っていた。

「はぁ!?　父上がしばらく戻って来ない!?」

夕飯を食べ終えてすぐ。

行儀悪く、だらしなくベッドの上に寝転がっていたサクがミーシャの話に驚く。

「どうやらお仕事が長引いてしまって、帰って来られないみたいです」

「おいおい、ならアリスはどうするんだよ?」

サクは当初、今後のアリスの接待はルガンに任せる予定だった。

王女に対して接待できる人間の筆頭は当主であるルガン。外聞上も体裁上も問題なく、誰からも文句を言われない相手。

あんなに「更生させてやる!」と言っていたアリスの面倒をずっと見るのはごめんだ。

自由気ままなサクのスローライフが邪魔されてしまう恐れがある。そんなのすこぶるごめんだ。

「このまま坊ちゃんが相手をすればいいじゃないですか。王女様も、坊ちゃんには懐いているみたいですし」

「いやいや、やだよ。あんなに隙を見つければ勉強道具片手に押し寄せてくる真面目ちゃんなん――」

「サクくん、お勉強の時間だよー!」

サクが言いかけた瞬間、勢いよく扉が開かれる。

そこから姿を現したのは、勉強道具を片手に持つバ、、、、バスローブ姿のアリスであった。

「ほら、こんな時間にバスローブ姿で現れるなんてどう見ても近所めいわ……って、バスローブ⁉」

「お、王女様⁉　どうしてそんな格好で現れてるんですか⁉」

ミーシャは急いでサクの目を両手で見られないよう覆う。

バスローブしか巻かれていないからか、クビレのある肉付きのいい肢体がくっきりと浮かび上がり、ほんのりと蒸気した頬がそこはかとなく色っぽく映る。

普段の端麗な容姿から妖艶な色気が追加されたことにより、同性であるミーシャですら思わず顔が真っ赤に染まってしまう。一瞬だけ視界に映ったサクに至っては激しく真っ赤だ。

「いや、この格好だったらちゃんとお勉強してくれるかなーって。ほら、男の子って女の子の裸に弱いんでしょ？」

「確かに弱いけども、それじゃただの逆効果！」

「流石に真っ裸は私の羞恥的にも難しいよ」

「もっと脱げって言ってるわけでもねぇよ⁉」

乙女的な恥じらいをどこへ忘れてきたのだろうか？　痴女一歩手前のアリスはたじろぐサクに向けて首を傾げる。

そして、急いで来たのであろうメイド達がようやくアリスの背後へと現れる。片手にはしっかり露出度の低い寝間着を持っていた。

「お、王女様！　御召し物を着てください！」

「そうです！　ここには獣（けだもの）がいるんですから！」

「獣（けだもの）？」

「そうです、あの人間のことです！」

そう言って、首を傾げるアリスに分かるようメイドがサクを指さした。

今の発言と行動だけで、ある程度サクの評価がどれぐらいのものかが分かる。悲しいものだ。

「もう、お前はほんと騒がしいやつだなぁ」

そう、自然とサクの口からそんな言葉が漏れる。

「坊ちゃん、何ニヤついてんですか？」

「あ？」

サクは指摘されて口元を触る。

確かに、口元が吊り上がっており……笑っていた。騒がしいと、言ったはずなのに。

「……なんでだろうな」

己でもよく分からない。

ただ、どうしても懐かしさを覚えてしまう。

「まさか、王女様のバスタオル姿に興奮――」

「してたら元気のいい息子が主張してるだろ。見てみろ、大人しい我が子を」

「セクハラですか？」

「弁明ですけど⁉」

変態の汚名を着させられそうになったサクであった。

「お待たせー」

そんな声が耳に届き、ミーシャが手を離したことによってサクの視界が明るくなる。

すると、やり切ったメイド達の中心にはオシャレな寝間着に身を包んだアリスの姿が映った。

「おぉ、似合ってんじゃん。用意させたかいがあるってもんだ」

「えへへっ、ありがとっ！」

「ただ、髪が乱れてんぞ。女の子はいつでもオシャレが大事なんだ」

ちょっと来い、と。サクはアリスに手招きをする。

アリスは小走りでサクの前までやって来ると、近くにあった椅子へ腰を下ろした。

そして、サクは棚の上にある櫛を手に取ってアリスの艶やかな金髪を梳き始める。

「上手いねぇ～、よきにはからえ」

「色々やらされてきたからな、お嬢さん。あんま動くなよ」

転生する前はよく幼なじみにやっていた。

だからこそ綺麗に梳く技術も勝手に身についたし、自然と梳かなければという衝動に駆られていたのだろう。

ただ、それはサクの中での話だ。

「……お二人共、すっげぇ仲いいじゃないですか」

「ハッ！　なんか衝動的にサクくんに梳かれてた！」

今更ながらに己の行動に気がついたアリス。

どうやらこちらも勝手に体を委ねてしまっていたようだ。

「なーんか、坊ちゃん達ってこの前初めましてとは思えないんですよねぇ」

サクの自由な性格とアリスのフランクな性格が合わさったからこその距離感なのだろう。

しかし、それ以上に親密さを感じる。

王女の髪を梳くのは侍女の役目。そのはずなのに、自ら買って出るサクと無抵抗に受け入れるアリス。

喋り方もそうであるのだが、何かと距離感の中に時間の深さが垣間見られたのだ。

「いや、本当にこの前会ったばかりなんだって」

「サクくんが一方的に私のことを知っていたら別だけど、私はこの人が社交界に出てこないからこの前が初めてになっちゃったし、嘘じゃないもん」

「んー……言われてみればそうなんですけど」

ミーシャは二人から言われても納得していないようだ。

それもそのはず。

何せ、片方は転生前の幼なじみに似ているから。

もう片方は——

（確かに、なんでだろ？　この前会ったばかりなのに……助けてもらったからかな？）

自分自身、よく分かっていないのだ。

納得できる答えが用意されていないのだから、納得できないのも無理はない。

「そういえばサクくん。さっき、うちの部下から連絡もらったんだけど」

「ん？」

「どうやら、私を攫おうとした人……上のお兄ちゃん達じゃないっぽいんだよね」

髪を梳かれながら、アリスが唐突に話題を切り出す。

「あ？　王位継承権絡みの話じゃなかったのか？」

「いや、私もそう思ってたんだけどさ。ここ最近でお兄ちゃん達に怪しい動きがなさすぎるんだって。裏の人間に接触した形跡もないし、そもそも関係性も浮かび上がらなかったの」

サクは梳く髪を一旦止めて考え込む。

上の人間が怪しくない――そう断言するにはサクの持っている情報は少なすぎる。

仮にアリスの話が真実だと仮定した場合、今度はアリスを狙う輩を洗い出すところから始めなければならない。

動機から犯人の目星、更には方法から手段まで全てが一からの捜索になる。

なおさらよく分からない状況になってきた。

（さて、どう動くべきか……）

そう考えた時、サクの思考に待ったがかかる。

(……いや、なんで俺はこいつを守る前提で考えてんだ)

アリスはただ一回助けただけの赤の他人。

ただ負い目があって屋敷へ泊まらせているだけであって、守ってあげる義務などサクの中には存在しない。

確かにむざむざ見捨てるような真似は気が引けるが、サクは大事な人しか守らないと決めた。

今世こそは際限なく伸ばし続けてきた手を止めると、転生してから決めたのだ。

貴族だから、この国の国民だから王女を守る……なんて理屈は、サクの中には存在しない。

「まぁ、頑張れ」

「あー、ひっどー!　女の子が劇的なピンチに陥っているっていうのにー!」

「そもそも、たまたま首を突っ込んだだけの人間だからな。そっちの事情に深入りする気はねぇよ」

「ッ!　そ、そうだね……」

アリスは自分の発言に自分勝手さが入っていると理解したからか、調子づいた言葉を飲み込んだ。

そして、サクの膝を叩いて再び髪を梳くように促す。

「坊ちゃん、今の発言はちょっと――」

「いいんだよ、ミーシャちゃん」

ミーシャが言いかけた言葉を、アリスは遮る。

「サクくんの言う通りだしね。それで彼を巻き込むのはお門違いってものだよ」

「いや、ですけど……」

「ただ、私以外の人には優しくしてあげてほしいなーって思っちゃうアリスちゃんです」

サクからは見えないはずなのに、にっこりと少女は笑みを浮かべる。

それを受けて、サクは苦笑いを見せたのであった。

アリスのお願いに対しては、もちろん返答はしない。

「あ、だけどしばらくここには泊めてね！　まだ帰るわけにはいかないし」

「まぁ、その約束ぐらいは守ってやるよ」

第四章　第一王女との日常

アリスが公爵邸で過ごし始めた。

その事実は街で見かけた領民へ瞬く間に広がり、密かに街に歓迎ムードが漂う。最近では一目王女を見ようと屋敷まで押しかけてくる領民さえいたため、警備の人間は更に仕事が増えることとなった。

加えて、社交界でもアリスが公爵邸に行ったことが広まり、色々な噂が出現。婚約者にごく潰しを選んだのか、公爵家を味方につけようとしているのか、などなど。

二人の知らぬ間に二人の話題が広まることとなる。

だが、いい意味で外聞や風評に興味のない二人は気にせず平和とも呼べる日常を謳歌していた。

「ふぅ……今日も農作日和（びより）だぜ」

額の汗を拭い、気持ちのいい快晴に気持ちのいい笑顔を向けるサク。

周囲が騒がしいことを知らぬ気にせぬのサクは、今日も今日とて敷地内の自作畑で農業に勤しんでいた。毎度言うが、どう見ても公爵家の人間とは思えない姿だ。

「サクくん、どこ～？」

そんな時、ふと離れたところから声が聞こえる。

汗を拭いながら声のした方へ視線を向けると、そこには使用人もつけずに一人辺りを見渡すアリスの姿があった。

隠れるべきか？　どうやら自分を捜しているみたいだし、絡まれれば面倒なことに――

「あ、サクくん発見！」

「Ｏｈ……」

時すでに遅しである。

「サクくん、何してるの～？」

いつもと変わらぬ上機嫌な様子で駆け寄ってくるアリス。

サクはため息を吐きながら、肩に担いでいた鍬を地面へ置いた。

「見れば分かるじゃん」

「見て、どうして貴族が畑を耕しているのか分からないから聞いたんだよ」

「ばっか、貴族だって畑を耕すだろう⁉」

「その考えって絶対にサクくん限定だと思うんだけど⁉」

するとしても爵位の低い下級貴族ぐらいだ。

決して公爵家の人間がするような行動ではない。

「お野菜がほしいなら使用人にお願いして、サクくんはお勉強をするべきだと思う！　国のためにも領民のためにも、知識を蓄えておく必要が――」

「おいおい、昔は全人類が自給自足の世界で生きてきたんだぞ。なんでもほしいものは自分で手に入れるべきだ」

「だったら、お小遣いも働いて稼がなきゃ」

「野菜限定だ」

「都合のいい頭をしてる」

はぁ、と。アリスはあからさまなため息を吐いた。

「そもそも、あんまり頭ごなしに否定するもんじゃないぞ」

「ん？　どういうこと？」

「その発想は『見た目が気に食わないから美味しくない』って言っているガキの発想と変わらないっていうことだ」

サクは指を突き立てて、首を傾げるアリスへ言葉を続ける。

「いいか、農業だって国を支えてくれる立派な産業だ。確かに平民が行い、貴族は金を払って野菜をいただくかもしれんが、それがイコールで貴族は農業をするべきではないという結果にはならないはず」

「う、うーん……？」

「たとえば、実際に農業を体験することによって農業に勤しむ国民の気持ちが分かるかもしれん。アリスがこだわる知識だって実際に農業を体験することによって得られるものもあるだろう。王族は国民に寄り添わなければいけない代表的な人間。実際に声と気持ちを理解すれば、もっと国民に寄り添える政策ができるかもしれない」

「い、言われてみればそうなの、かも……？」

サクの力説に、アリスは何か釈然としない様子で頷く。

ぶっちゃけサクはそこまでまったく考えてはいないのだが、その場凌ぎの発言としては地味に筋が通っていた。

それ故に、中々反論ができない王族のアリス。

あと一押しだと、サクは地面に置いた鍬を手に持ってアリスへと突き出す。

「頭ごなしになんでも否定するもんじゃない。大して時間が奪われるわけじゃないんだ。まずは一つ、試しにやってみないか？」

「そう、だね……うん、分かった！　なんでもやってみる前に否定しちゃダメだよね」

「その通りだ」

　内心ガーツポーズのサクは必死に笑みを堪える。

……チョロい。

「これ、どうやって使うの？」

「特別な使い方なんてないぞ？　単純に地面へ振り下ろして、掻き混ぜるように手前へ引くだけだ」

　試しにサクが一度お手本を見せる。

　慣れた動作で鍬を振り下ろし、少しだけ先端で揉(も)んだまま手前へと引く。

　アリスはその一連を確認すると、サクから鍬を受け取って己も見よう見真似で挑戦する。

　少し覚束(おぼつか)ないが、それでも腰にしっかりと力が入っていることから、センスがあるのだと窺えた。今後必要になってくるかどうかは分からないが。

「おぉ、いいじゃないか。あとは何回か繰り返して端っこまで行くだけだな」

「これ、意外と力を使うんだね」

「そうだ、その力が俺達に美味しい食材を恵んでくれるんだ」

よいしょ、と。アリスはサクに言われるがまま鍬を振り下ろしていく。

ミーシャはたまにしか手伝ってくれず、あまり意欲的ではなかった。騙したような感じにはなったが、こうして意欲的に農業に携わってくれる人間を見ると農業大好きサクくんはそこはかとなく嬉しく感じる。

なんとも上機嫌な様子で見守っていると、アリスは一つのレーンの端まで耕し終えた。

「ふぅ……うん、何事もやってみるものだねぇ。なんとなく、国民の皆に寄り添えられたような気がするよ」

「うんうん、よかったよかった」

サクは満足そうに頷く。

これでアリスはこっち側の人間だ。農業の魅力……とまではいかないが、少なくともすることに意義を見つけてくれたのであれば、サクのする行動にも口出しはしないだろう。

早く新しい箇所を耕し、新しい種を蒔かなければ。

そう思い、サクはアリスに近づいて鍬を受け取ろうと――

「それじゃ、鍬を返してほしかったらお勉強しようか！」

「は？」

――した時、アリスがそんなことを言い始めた。

「いや……いやいやいや、待ってくださいよ先輩。今、俺が鍬を持つ理由を身を以て体験したじゃないっすか」

「したね」

「あの、だったら返してもらえると。それしか今はうちにないんですから」

サクが手を伸ばそうとすると、アリスは鍬を抱えて取らせまいとする。

そして、サクに向けて勝ち誇ったような笑みを浮かべた。

「私は考えたの……サクくんがどうやったらお勉強してくれるかなって。考えた結果、遊び道具を没収した方が早いよねって結論に至ったの！」

勝ち誇ったアリスは上機嫌な様子で言葉を続ける。

「でも、サクくんが大人しく没収されるとは思えない。だから、油断させて手にする他ないと私は行き着きました！」

体験するフリをすれば、サクは警戒心を抱かずに鍬を渡す。

ただ「ちょうだい！」と言っても警戒されるだけ。それならば、自然と渡してくれる行程を作るしかなかった。

結論、これまでの流れはアリスの術中。チョロいと思っていた相手の手のひらの上だったのだ。

「なんと小癪（こしゃく）な……ッ！」

意外と頭の回ることをされたサクは歯噛みをする。

しかし、忘れることなかれ。

「フッ……甘いぞ、アリス。お前も見ただろうが、俺は『世界』という魔術を有する魔術師だ」

英雄とまで呼ばれた最強の魔術師。

その気になれば、アリスから奪取することも可能。

いくら先んじて鍬を奪ったとしても、世の中には力ずくという言葉があるのだ。

抵抗しようとしたとしても、サクの魔術の前ではか弱い女の子など赤子同然。魔術をプロ並みに扱っているのだとしても、力量の差は目に見えて明らかである。

「俺はいつだってアリスから奪うことができる！　そう、故にアリスのしていることは無意味に他ならな――」

「私に何かしようとしたら、サクくんの実力が皆にバレちゃうかもねぇー」

「あ？」

「だって、サクくんは確かに強いかもしれないけど、私は全力で抵抗しますので！　そしたら、騒ぎを聞きつけた人達がやって来てサクくんのお力露呈♪」

こいつ最低だ、と。周到な発言にサクは涙目を浮かべる。

そして、ついぞ我慢できなかったのか……サクはギラついた目を浮かべてアリスへと襲いかかる。

「えぇい！　その鍬を寄越せ！」

「きゃー、サクくんがいじめてくるー！」

「悪人は過程を見ればお前だろ！」

「過程は私達しか知りませーん！　返してほしかったらちゃんとお勉強をすることですー！」

無理矢理奪おうとするサク。

それを受けて楽しそうに逃げるアリス。

どう傍から見ても、二人の姿はとても仲睦まじそうに見えた。

——その日の夕暮れ時。

「ねぇねぇ、サクくん。私、街へ遊びに行きたい」

唐突にアリスが頬杖を突きながらそんなことを言い始めた。

「あ？　いきなりどうした？」

ペンと教材片手に珍しく自室のテーブルに向かっているサクが首を傾げる。

ちなみに、今は勉強の真っ最中。アリスから結局鍬を奪い取れなかった結果だ。

「街の人から聞いてね、今日って夜祭があるらしいじゃ——あ、ここ間違ってる。

建国はここから二十年前」

「ちくしょう……なんで俺が興味もない歴史を勉強しなくちゃなんねぇんだ」

「鍬、返さないよ？」

「ちくしょうッッッ!!!」

涙目のサクは悪態をつきながら間違った箇所に斜線を引いていく。

紙にいくつか滲んでいる水滴の箇所がサクの涙でないことを祈ろう。

「確かに、今日は半年に一回の夜祭がありますね」

シーツを綺麗に整えているミーシャが会話に参加する。

「いつも坊ちゃんが行くので覚えていたはずなんですけど、今回は綺麗に頭の片隅から消えてました」

「大方、その要因は横にいる王女様だろうよ」

「二人共、忙しかったんだねぇ〜」

まるで他人事のように口にするアリスへジト目を向けるサク。

そうだ、遊び人のサクですら忘れていたのはこの騒がしい王女のせいで忙しかったからだ。

どれだけ自堕落ライフから遠のくのだと、サクはジト目と一緒に愚痴を乗せた。

「せっかくだし、行ってみたいなーって思うアリスちゃんです！」

「んー……別に連れて行ってもいいんだろうが」

瞳を輝かせているアリスとは打って変わって、サクは難色示す。

「珍しいですね、いつもの坊ちゃんなら迷わず『行こう！』って言うのに」

「馬鹿、ここには希少種の王女がいるだろうが。夜祭は人が増えるし、危ない輩だってセットでついてくる。何かあったら監督不行届は俺宛てに届くぞ？」

人が多くなるということは、紛れやすい木がいっぱい増えるということだ。

必然的にそういうイベントがある際は犯罪件数も増え、被害者が出る可能性が高くなる。

警備の人間が巡回するとしても、街の広さは王都に次ぐものだ。

隅々まで手が届くわけでもないし、対処してくれるわけでもない。

サクが無類の強者だとしても、少し目を離してはぐれてしまえば最悪だ。

今現状、何かあれば非難の矛先はサクに向かうことになる。決して守ってやりたいというわけではないが、己のためにも不要の外出は避けたいところであった。本音は自分も遊びたいところではあるのだが。

「大丈夫大丈夫！　今度こそちゃんと変装して行くから！」

「そういう問題じゃないんだって」

「あいたっ」

サクはアリスの額を小突く。

危機感のないアリスは涙目を浮かべた。

「お前、ただでさえこの前攫われたばかりだろ？　少しは危機感を持て」

「それはそうなんだけど、結局誰か分からない状態で気を張り続けてもしんどくない？　気分転換って大事だと思うの」

「そのセリフって慰める側が言うセリフじゃね？」

「っていうか、前に街へ遊びに行ったばかりです」

「気にしない、気にしない♪」

アリスは笑顔を浮かべて横に座るサクの肩にもたれる。

甘えっぷりはさておいて、この自由奔放さはサクに負けないぐらいであった。

意外と王女は手を焼く人間なのか？

（いや、そうじゃねぇですね）

もたれかかるアリスを見て、ミーシャは思う。

（坊ちゃんが相手だからなんでしょう）

もし自由奔放さがサク並みなのであれば、今頃きっと悪評が至るところまで広がっているはずだ。

そうなっていないということは、それ以外の場所では真面目な女の子ということ。

学園を飛び級で卒業していること、自身を慕う派閥の人間がいることから品行方正と証明されているようなものだ。

(ただ、どうして坊ちゃんの前ではっていう疑問はありますけどね～)

まぁいっか、と。ミーシャは引き続きシーツ整備に戻った。

「サクくん、こんなに可愛い女の子とデートって男の子的には喜ぶべきものだと思うの！　しかも、私は王女です！　お得感満載♪」

「王女大安売りだな」

「サクくん限定特価ですぅー！」

頬を膨らませて不機嫌アピールを見せるアリス。

そんなに行きたいのか？　サクはアリスの態度に頭を悩ませる。

こんなにサクが振り回されるのは久しぶりだ。今までは周囲を振り回していた側なので、どうにも扱いに困る。

(……っていうか、こんな駄々っ子は久しぶりだな)

やっぱりこういうところも似ている。

だからからか、しばらく悩んだサクは大きなため息を吐いて――

「はぁ……分かったよ」

「やったー！」

「ただし、絶対に俺から離れんじゃないぞ！」

「うんうん、分かった分かった♪」

本当に分かっているのかと、サクは一気に上機嫌になったアリスを見てもう一度ため息を吐く。

しかし、振り回されて不快……なんてことはなく、どこか微笑ましく思ってしまう。

何故か？　そんなの、懐かしいと感じているからに決まっている。

（あんまり、あいつと重ねないようにしないとな）

アリスと昔の幼なじみは違う人間なのだから。

サクは己を戒めるかのように、嫌っていた教材に再び視線を落とした。

夜祭の賑わいは、やはりいつも以上のものであった。

色鮮やかなランタンが風景画を描くかのように街を照らし、行き交う人々は道を埋めるほど集まっている。

繁華街に並ぶ店は全て閉められ、新しい屋台としてランタンの明かりの下で騒いでいた。

吟遊詩人が詠う詩も時折耳に届き、踊り子が広場の真ん中で集大成を披露。

先日訪れた街とはまったくの別物のようだ。それが、変装したアリスの率直な感想であった。

「うわぁ〜！　ピカピカで綺麗でぐわーっ、な感じで凄いね〜！」

「語彙力よ」

とりあえず夜景が綺麗だということしか分からなかったサクは苦笑いを浮かべる。

「あれ、そういえばミーシャちゃんって結局来なかったの？　せっかくのお祭りなのに……って、いひゃいいひゃい、なにひゅるのひゃくくん」

「どこぞの王女様のダミーに駆り出されたせいだと思うんですよ。俺ってば説明しましたよね、アンサー？」

王女であるアリスがおいそれと外出できるわけもなし。

前回はなんとかサクが説得してくれたものの、犯罪件数が多くなる可能性が高い夜祭では護衛の人間達の警戒心も高くなっている。

そのため、恐らくサクがもう一度説得しても首は縦に振らない。

護衛の騎士も一緒に……などと考えたのだが、それは何故かアリスが頑なに拒ん

だ。

となれば、どうすればいいのか？　考えた結論、アリスの身代わりを用意するということになった。

おかげで、今頃はミーシャがいつバレるかとビクビクしながら客間のベッドの中に潜り込んでいることだろう。

「ひょ、ひょういえばひょうでした」

「はぁ……ここまでするなら諦めろよ。っていうか護衛の人間を連れて出てこいって」

「えー、それはやだ」

ようやく離してもらえたアリスは涙目になりながら頬を擦る。

「こんなに強い護衛がいるのに、色んな人がいたら楽しめるものも楽しめないんだよ」

「……そのセリフって、俺が言うもんじゃゃねぇかなぁ？　いつの間に立場逆転してんの？」

これではどっちが遊び人なのかが分からない。

サクはアリスの奔放っぷりにもう一度ため息を吐いた。

「っていうか、ただ夜祭を回りたいんじゃなくて、私はサクくんと一緒に夜祭を回りたいの！」

「…………」

サクの反応を他所に、アリスは嘘偽りすら覗かせない満面の笑みを浮かべる。

一方で、サクはその笑顔を受けて言葉が詰まってしまった。

たった一回助けただけだというのに、どうしてアリスは——幼なじみによく似た少女は、こんなにも懐いてくれるのだろうか？

「なぁ……どうして俺なんだ？」

将来を見据えた家督的な話、誰にも見せたことがなかった実力の話、己を守ってくれるだろうという打算的な話。

考えれば色々理由は挙がってくる。

かといって、下心を持っているにしては笑みが純粋すぎる。

どこか……そう、どこかやっぱり幼なじみと同じ——

「んー、なんでだろ？」

アリス自身、問われているにもかかわらず首を傾げる。

「まぁ、私なりにちゃんと理由があるんだけど、答えにはなってないよね。でも、本当になんでだろって感じなんだ」

「なんじゃそりゃ」

「一緒にいたいって思っちゃったんだから仕方ないじゃん。これって初めての気持ちだし」

アリスも分かっていないのに、サクが望むようなハッキリとした回答などもらえるはずもなし。

仕方なくここは深く追及しない方がいいと、サクは己の中で判断した。

「逆に聞くけど、サクくんはどうして私に構ってくれるの？」

「あ？　そんなの、面倒事がやってくるかも――」

「って理由じゃないよね？」

横を歩きながら、深くフードを被ったアリスは真っ直ぐにサクを見据える。

「もし私の身に何かあったら責任を問われる……っていう理由を口にしようとしたんなら、客観的に否定するよ。だって、それならわざわざミーシャちゃんを身代わりにして護衛の人達を出し抜こうって話は呑み込まなかった」

本当に己の保身を考えるのであれば、徹頭徹尾アリスを外に出さないようにするべきなのだ。

外に出すメリットは皆無。刺客を殺してしまって、黒幕が分からなくなってしまったという負い目こそあるかもしれないが、ここまでする義理はどこにもない。となれば、サクはアリスを連れ出すことに踏み切った理由が別にあるのだと考えられる。

個人的主観ではなく、客観的にも辿り着く質問だ。

「……なんで、だろうな」

アリスに言われて、サクも同じようなことを口にする。

どうして、己は断固としてアリスを屋敷に押し留めようとしなかったのか？

余計なリスクを背負うぐらいなら、アリスに文句を言われながらも背負わずに一日を終えればいい。

確かに、己も夜祭で遊びたかった。

だが、天秤に掛けるほどの強い欲求だったかと言われればそうでもない。

言われてみれば、その通りなのだ。

ただ、その理由は口にした言葉と裏腹にしっかりと自分の中で理解している。

（……懐かしく思ってしまったんだから仕方ねぇだろ）

――その時、ふとサクの脳裏に小さな少女とのやり取りが思い浮かんだ。

『サクくん、サクくん！　たまにはゆっくり街に出て遊ぼうよ！』

いつだったか、そんなことを言われた気がする。

そして結局、その言葉に応えられなかったような気もする。

（あいつにできなかった分をこいつにしているだけ、なんだろうな）

だが、こんなこと言えるわけもない。

言ってしまっても、首を傾げられるのがオチだ。

「なんでだろうな」

「疑問に思っている割には、清々しい顔なんだよ」

「気にすんな、答えられなかったのはお互い様だろうが」

フード越しにアリスの頭を撫で始めるサク。

アリスはジト目を向けながらも、目を細めながら手に身を委ねる。

「そういえば、パッと見た感じもそうなんだけど、普通の市場と夜祭って何が違うの？」

「基本的には並んでいる出店だな。普段も出店はあるが、こういう日は店舗として構えている店も前に出たり、バザーや遊び感覚で出店する領民も出てたりする。あとは、大きい商会が足を運んで希少品を売りに来ることぐらいだ」

「ほぇ～、お店がいっぱいで楽しそうだね！」

「なんせ、この日は一番の売り時だからな。そりゃ、普段見ないような店も腰を上げるさ」

王都に次ぐ公爵領の一番大きな街で行われる祭りなのだ。

当然、住んでいる領民だけでなく遊びで地方からやって来る人間だって出てくる。

そのため、街にある宿は一日限りの大繁盛を見せていた。普段は寝ている時間でも窓からは楽しそうな喧噪が聞こえる。

それぐらい、この夜祭の盛況さは凄まじいものなのだ。

「マジで色んな店があるぞ？　それこそ、王都でも中々見ない物だって売ってるかもしれん」

説明しているサクの声音が徐々に高くなっていく。

それがどこかおかしく、アリスは思わず微笑ましい笑みを浮かべてしまった。

「ふふっ、なんだかんだ言ってサクくんも上機嫌じゃん」

「割り切っただけだ、せっかくなら楽しまなきゃ損だろ」

サクは今まで何度も足を運び、存分に楽しんできた経験があるからこそいつも以上に期待が膨らんでいた。

こうなったらヤケだ、という理由もあるのかもしれないが。

「じゃあ、早速サクくんの案内に期待してるじぇ♪」

そう言って、アリスは人混みの流れに沿うように先を歩き始める。

すぐに目を離せば人混みの中に消えてしまいそうだ。だから、サクはすぐさま目の前で揺れるアリスの手を握った。

「おい、あんまり離れんなよ？　こんな場所じゃ、すぐに迷子確定になるんだから――」

言いかけた途端、寸前で言葉が詰まる。何せ、手を握られたのにもかかわらず、アリスが立ち止まったままこちらを見ないのだから。

「……聞いてんのか、アリス？」

「ほえっ⁉　う、うん、聞いてるよ⁉」

もう一度声をかけると、アリスは肩を跳ねさせて反応を返す。

だが、その時の顔はほんのりと朱に染まっており、心なしか握っている手が熱く感じられた。

「もしかして、照れてんの？」

「て、照れてないしっ！」

「いや、おまっ……えー……」

あんなに肩を寄せたり、距離が近かったりしていたのに、今更手を握られた程度で照れるのだろうか？　サクは疑問に思いながらも隠し切れない呆れ顔を浮かべた。

それを受けたアリスは、弁明するかのように早口で捲し立てる。

「だ、だって！　自分からするのといきなりされるのとは違うし、びっくりするしっ！　そ、それに――」

そして、アリスは更に顔を真っ赤にさせて恥ずかしそうに口にした。

「……こっちの方が、サクくんをいっぱい感じてる気がするし」

「お、おう……そうか」

アリスの恥ずかしさが移ったからか、特に意識していなかったはずのサクの顔までもが赤くなる。

恐らく、対面にこれでもかと意識している人間がいるからだろう。

伝播していった意識は中々消えることがなく、流れていく往来の中で二人は手を握ったまま立ち止まってしまう。

その二人の間に広がった静寂は数秒、数十秒続き——

「は、早く行こうよ！　屋敷に戻らなきゃいけない時間もあるしさっ！」

「そ、そうだなっ！　あんまり突っ立ってるのも迷惑だろうしな！」

我に返った二人はそそくさと歩き始めた。

きっと、周囲の視線が立ち止まる自分達に注がれているとようやく気がついたのだろう。

（あぁ、もうっ……なんなの、これ）

（くそっ、なんで俺まで……）

歩きながら、二人の内心は愚痴で染まる。

それでも頬に溜まった熱が冷めないのは、未だに手が繋がれているから。

こんな感情を抱く相手だったか？　二人はくしくも同じ疑問を抱いてしまう。

「……ん？」

そんな時、ふと歩いているアリスの視界に一つの出店が視界に入った。

「ねぇ、サクくん。あれって何？」

「あぁ、あれか。あれは射的だよ」

「射的？」

初めて見た出店に、アリスは首を傾げる。

棚に並んだいくつもの景品らしき商品。そこまでの間には距離があり、テーブルの上には持ち手の付いている筒のようなものが置かれている。

そして、その出店に並んでいる人間は筒のようなものを手にして商品へ先端を向けていた。

「射的っていうのは、あの筒を使ってコルクを飛ばして遊ぶゲームだな。んで、落とした景品をもらえるって感じ」

「……景品落とすだけだったら魔術使った方が早くない？」

「馬鹿ちん、魔術を使える人間がゴロゴロいるわけがないだろ。それに、簡単じゃないからこそゲームっていうのは面白いんじゃないか」

「まぁ、言われてみれば確かに」

簡単にできてしまえば、そもそも面白みというのが失われてしまう。

アリスが使える魔術を使ってしまえばいとも簡単に落とせてしまうだろうが、そんなことをすると開始早々に飽きてしまうはず。

それはアリスだけに該当する話ではない。

不慣れなものを使い、挑戦するからこそ人は皆自然と興味を惹かれていくのだ。

その証拠に、盛況しているのか並んでいる列が見受けられる。射的をしている人間も楽しそうで、皆一様に笑顔を浮かべていた。

「やってみるか？」

「やるっ！」

サクの問いかけに嬉しく反応したアリスは腕を引っ張って列へと並ぶ。

後姿は列に並んで今か今かと待つ子供と変わらなく、サクはおかしくて思わず笑みを零してしまった。

「サクくんはやったことあるの？」

「一応な。といっても、一回ぐらいしかやってない」

「へぇー、意外。サクくんだったらめちゃくちゃ遊んでる感じがするのに」

「やってみて、あんまり上手く飛ばせなかったんだよ。簡単にできてしまうのも面白くはないが、あんまりできないのもそれはそれで興味を失うってもんだ」

でも面白かったのは面白かったよ、と。サクは前に並んでいる人間の様子を見ながら口にする。

そこへ、アリスがからかうような笑みを浮かべた。

「なら、私と勝負しようよ」

「お前、苦手って言ったあとにその発言は卑怯卑劣じゃね？」

「ふふんっ！　勝機を見つけた軍師は卑怯卑劣関係なく常に勝ちを狙いにいくんだよ！」

汚い、というのがサクの素直な感想であった。

「いや、仮に勝機を見つけたとしても俺が乗るとは限らねぇだろ？　事実、苦手な分野で俺は首を縦に振るつもりはない」

「あれ、逃げるの？」

「……なに？」

「だってそうでしょ？　考えてもみれば私は未経験で、サクくんは一度経験したことがある。これはサクくんの大きなアドバンテージなはず。それなのに『苦手だ』って逃げるっていうのは……ねぇ？」

挑発するような憎たらしくも可愛らしい笑顔。

言われてみれば、未経験者と経験者という大きなアドバンテージをサクは持っている。

なのに勝負から逃げるということは、自分がアリスより下手——負けることへのイメージが定着している証拠。

まだやってもいないのに決めつけているというサクの思考は、紛れもなく逃げ腰だ。

あまりにも……そう、あまりにも男らしくない。

「おうおう、言ってくれるじゃねぇかやってやろうじゃねぇかッッッ!!!」

「そうこなくっちゃ♪」

そんなやり取りをしていると、前の人間が悔しそうに列から離れていった。

そして、ようやくサク達の順番が回ってくる。

「いらっしゃい！　弾は全部で五発、落とした景品は全てプレゼントだ！」

店主の声に合わせ、サクは懐から取り出した金を卓の上に置く。

「んで、勝敗はどうつけるよ？」

「落とした数でいいんじゃないかな？　あと、負けた方は罰ゲームね！」

「罰ゲーム？」

「勝った方が負けた方に命令一回！　あ、拒否権はなしで♪」

「いや、それはいいが……」

アリスが勝った場合の命令はなんとなく想像がつく。

どうせ自分を更生させるために勉強やら何やらをさせようとするのだろう。

しかし、逆は？

アリスは、果たしてサクがどんなお願いをするか想像ができているのだろうか？

「お前、俺が勝った場合のこととか考えてないのかよ？」

「うん？　お金ならこれでもたくさんあるから、好きなの買ってあげられるよ？

お昼寝も一回ぐらいは許す覚悟はあるんだよ！」

「だから、そうじゃなくて」

サクは一つ咳払いを入れる。

「俺が、その……お前に変なことをするって考えなかったのか？」

いくらサクが王族に敬意を振る舞わなければならない立場だとしても、所詮はまだ思春期の男の子だ。

もちろんあれやこれやの欲求はあるわけで、命令という普段手に入らないカードを提示された時に何を望みそうかなど考えれば分かること。

もちろん、サクにその気は毛頭ないとしても、サク以外の男であれば可能性はある。

こんなに無防備な王女様なのだ……わんちゃんいけるかもしれない。野郎がその考えに至った時、アリスはどうなるのだろうか？

少しは危機感を持ってほしい。サクはそんなお願いを瞳に込め——

「変なことって？」

——たが、伝わらなかった。

「いや、変なことって言えばそりゃぁ……」

「そりゃ？」

「……な、なんでもない」

これ以上口にするのが気恥ずかしかったからか、サクはアリスから視線を逸らして筒にコルクを入れ始める。

伝わらないのであれば、いつか痛い目でも見ればいい。

純真無垢な女の子に対して最悪な判断だと思うが、それ以上にサクの羞恥が持たなかったようだ。

「よく分かんないけど、早速やってみよー！」

見よう見真似でコルクを詰めたアリスが景品に向かって狙いを定める。

初めてだというのに、目を細めて照準を合わせようとしている姿はとても様になっていた。

そしてまず一回——引き金を引く。

すると、一番下にある段の景品の隅に当たった。とはいえ、狙いが悪かったのだろう。倒れるまではいかなかった。

「あー、惜しいっ！」

「初手で当てるってすげぇな……」

サクも負けじと構え始める。

変な命令をする気がないとしても、更生させるために命令されるのはごめんだ。

それに、女の子に負けるというのも少し癪。

故に、サクは苦手な分野ながらも真剣に狙いを定めた。

しかし、打ち出したコルクは景品と景品の間をすり抜けていく。

「おやおや、やっぱりサクくんには苦手だったようだにゃ～？」

「…………」

なんとも腹立たしい。

サクの額に青筋が浮かぶ。

「えぇい、見てろよ！　苦手な分野でもこと遊びともなれば俺の八年間のスキルが火を吹いて――」

スカッ（二発目）

スカッ（三発目）

スカッ（四発目）

スカッ（五発目）

「火を……なんだって、サクくん？」

「…………」

苦手な分野はどうしたって苦手なままであった。

「だ、だが、お前も落とせなかったら同点だろ……ッ！」

「逆に言えば、一個でも落とせば私の勝ちなんだよ」

コルクを詰めて、もう一度アリスが景品に狙いを定める。

引き金を引いて飛んだコルクは一度目に狙った景品の上を綺麗に当て……傾いた景品は、そのまま後ろへと倒れてしまった。

『おめでとう、嬢ちゃん！　景品ゲットだ！』

「ふふんっ！」

「なん、だと……ッ⁉」

初心者（ビギナー）……それも、先程初めて射的の存在を知ったはずのアリスが、まさか二発目で倒してしまうとは。

予想以上の結果に、サクは開いた口が塞がらない。

しかし、そんなサクを他所にアリスは三発目、四発目と景品を倒していく。

最後の一つだけは逸れてしまったが、それでも終わってしまえば景品三つと圧勝であった。

「実は私～、初心者なんですよ～、なんですよ～！」

「クソうぜぇ……ッ！」

もちろん、最後に煽りも忘れずに。

『嬢ちゃん、すげぇーな！　ほら、景品だ持っていけ！』

「ありがとうございますっ！」

店主から景品を受け取ったアリスは笑顔を見せ、並んでいる人間の迷惑にならないようそそくさとその場を離れる。

余韻に浸りたかったが、繁盛している店でいつまでも突っ立っているわけにはいかない。

だが、その余韻は歩いていながらも味わえるわけで。自分もまさかここまでできるとは思っていなかったのか、「意外と私って天才っ子♪」などと鼻歌を鳴らしながら内心で喜んでいた。

しかし、一方で——

「……俺、苦手って言ったし。コルクが五個とかそもそも少ないんだし。もう少しあったら俺だって」

腕を引かれるサクはブツブツと小言を吐きながら拗ねていた。

「もうっ、サクくん拗ねないの！　男らしくないぞ！」

「この俺が、こと遊びで……」

「あちゃー、ごく潰し唯一のプライドを折っちゃったかー」

酷い言いようだが、実際に事実なためにサクは何もツッコまない。というより、ツッコむ気力がなかった。

アリスはため息を吐いて、サクの頬を軽く何度か叩く。

「起きてー、起きてー」

「ハッ！　俺は一体何を……」

「あ、ようやく戻ってきた」

「なんか、俺が射的でアリスに負ける夢を見たぜ……ふぅ、危ない危ない」

「我に返った流れで、さり気なくなかったことにしないでくれる？」

この男、潔く負けは認められなかったようだ。

「まぁ、勝ちは勝ちだし、命令させてもらおうかなぁ？」

往来から抜け出して夜祭の中心から離れた途端、アリスはサクの手を離した。

アリスの言う通り、勝ちは勝ち。敗者は当初のルールに則り命令を受けなければならない。

悔しそうな顔を浮かべたサクは一瞬だけ何かを言おうとしたが、寸前で口が止まる。

そして、観念した様子で近くにあった花壇の淵へと腰を下ろした。

「クソっ、なんでも言ってみろ。男に二言はない！」

「ふふっ、さっきまで負けを認められなかったサクくんにしては潔くなったね～」

アリスは楽しそうな笑みを浮かべ、サクの横へと腰を下ろした。

少し離れたおかげか、サク達の周囲には人影が見えない。薄暗く、少し遠のいた喧騒が聞こえるだけで、いつの間にか二人きりの空間ができたかのよう。

サクは少し先の夜祭の光を眺めながら、アリスの命令に少しドギマギしていた。

おおよその検討はつくが、いざ実際にはどんな命令が下されるのか？　あまり面倒で、無茶なことではないことを切に願う。

「じゃあ、私からの命令」

そんなことを思っているサクの様子を見たアリスが、少しだけ間を置いてゆっくりと口を開いた。

「サクくん、ちゃんと幸せになってね」

その言葉を受けて、サクは思わず呆(ほう)けてしまう。

更生させる。そう息巻いていた傍迷惑な王女が一体どんな命令を下すのかと身構えていたのに、蓋を開けてみれば「幸せになれ」と。

想像とかけ離れていたが故に、理解が追い付かなかった。

「な、なんだよその命令……？　てっきり、俺はまた更生させるための命令がくるかと……」

「うーん、それも考えたんだけどね。ほら、お勉強だったり家のお手伝いだったり。あとはちゃんと学園に通わせようとか、考えれば色々思いついた」

でも、と。アリスはどこか遠い目を浮かべた。

「幸せになってほしいっていうのは、やっぱりあるかなぁ。そもそも、私がサクくんを更生させたいって思ったのは『そっちの方が幸せになれる！』って思ったからだったし」

「………………」

「なら、ストレートに「幸せになれ！」って言った方がいいよね！　幸せになるならお勉強だって学園に通ったりだってする必要があるかもだし！　そうなれば、一石三鳥？　広義的な命令で小さな命令も刈り取るアリスちゃんの考えでした！」

胸を張って自慢げな顔を見せるアリス。

それを受けて、サクは――

「……おせっかいな恩返しだな」

「むぅー、お節介とは失礼な！　命を救ってもらった人に恩を返すのは当たり前だよ！」

「仇一歩手前なんだが」

「仇!?」

本当に失礼だ、と。アリスは頬を膨らませてサクの胸を何度も殴る。

そんな姿が可愛らしくて、どこかおかしく思える。サクは思わず吹き出し、アリスの頭を自然と撫でてしまった。

（……似てる）

ふと、撫でながら脳裏に一人の少女が思い浮かぶ。

しかし、それも一瞬のこと——すぐさま、鮮明となった脳裏には目の前の少女の姿が浮かんだ。

(けど、こいつはこいつなんだよな)

重ねてしまっても、実際には違う人間。

今自分の幸せを願ってくれたのは、幼なじみではなくこの国を背負う一人の女の子だ。

(なんで俺なんだか)

ただやはり、不思議と嫌な気分にはなれなくて。

サクの胸の内に温かい何かが込み上げてきてしまった。

その時——

ズンンンンッッッ!!! と。

少し離れた往来で重く圧し掛かる音が響き渡った。

反射的に音のした方へと顔を向けると、そこには激しく膨れ上がる火の手が見えた。

『きゃぁぁぁぁぁぁぁぁぁぁぁぁぁぁっ！』

『に、逃げろ！　魔術師だ！』

『どうしてこんなところで魔術師が暴れてんだよ⁉』

衝撃音を皮切りに、賑わっていた往来がパニックに陥る。

前の人などお構いなしに、我こそはと音と反対側へ走り始める人達。店も大事なのだろうが、命の方が最優先。店を構えていた人間も人混みに乗っかり、空になった店舗だけが異様に目立ち始める。

「な、何があったの⁉」

「知らん、が……あまりよろしい空気じゃねぇな」

往来から少し離れた場所にいるからか、サク達のいる場所に人が押し寄せてくることはなかった。

とはいえ、いつ空いたこの場所に人が流れてくるか分からない。

逃げやすい空間を見つければ、命の危機を感じた人間はこぞってやってくるだろう。

「んじゃ、さっさと逃げるかね。悠長にしてても巻き込まれるだけだし」

サクはゆっくりと腰を上げる。

助けに行かないのか？　そんな問いかけが己の脳裏に浮かび上がるが、サクはすぐさま首を横に振る。

いくらサクの領地で何かが起こったとしても、サクは二度と誰かのために力を振るわないと決めた。

薄情、と思われるかもしれない。

だがしかし、一度手を伸ばしてしまえばいずれ際限がなくなってしまう。繰り返せば繰り返すほど、サクの大事な人を守れなくなる可能性だって出てくる。

そもそもの話、これだけの音を立てているのであれば警備の人間が気づかないわけがない。

本来、こういったことへの対処は警備の人間の仕事。自分が手を出すなどお門違いな話なのだ。

しかし――

「お、おいっ！　アリス⁉」

横にいるアリスが立ち上がり、騒ぎの方へと走っていく。

サクの制止すらも無視して人混みに逆らっていくアリスの後姿は、このまま何度か瞬きすれば消えてしまうだろう。

追いかけるか？　いや、でもあの方向は明らかに首を突っ込もうとしている。

サクの中で激しい葛藤が生まれた。

だが、それも数秒ほどで終了し、いつの間にか足がアリスが向かっていた方向へと流れていく。

「あぁ、もうっ！」

違う、別に助けに行くわけじゃない。

ここでアリスが変なことでも起こせば、アリスの身に何か起これば責任問題になる。

そうなる前に連れ帰り、アリスを面倒事から遠ざけなければ。

サクは消えていきそうなアリスの後ろを追いかける。

『なんだよ、あの爆発みたいなの⁉　衛兵とか騎士はどこにいるんだ⁉』

『今、その騎士達とやり合ってんだよ！　子供を連れ去ろうとした男に騎士が声をかけた瞬間これらしい！』

『クソっ！　ほら退(ど)けよ！　遅いんだよ！』

アリスの背中を追いかけていると、通り過ぎる人間の声が聞こえてくる。

衛兵達がいずれなんとかしてくれる——そう、放り投げようと考えていたのだが、聞こえた話によると現在進行形で対処しているらしい。

一度目に聞いた音は二回も三回も響き渡ってくる。

どこからどう聞いても戦闘音だ。賑やかで楽しそうな夜祭には似つかわしくないもの。

アリスのあとを追っていくと、少しずつ聞こえてくる音の重さが大きくなる。そして、背中を捉える頃には——

『か、囲めっ！　相手は一人だ！』

『クソっ、人攫いがなんで魔術を！』

『並んで対処しろ！　これ以上被害を出すな！』

開けてしまった空間。そこでは騎士達が剣を構えており、後ろでは衛兵らしき人間が魔術の詠唱を始めている。

そして、その中央——皆の視線が一気に注がれている場所には、赤黒いローブを羽織った人間が小さな子供を乱暴に掴みながら立っていた。

「……面倒くさい。適当に人を持っていこうとしただけなのに。私、やっぱりこういうこと向いてない？」

声音的には女性だろうか？　全身を覆うローブと、深く被ったフードのせいで声以外の情報が摑めなかった。

しかし、そんなことはどうでもいい。

「おい、アリス！　戻るぞ、お前がいていい現場じゃねぇ！」

追いついたアリスの腕を摑み、その場から離れようと試みる。

「私は国民を守るのが仕事なの。公務だって、今年からするよ」

「それは俺がいない場所でやれよ！　こっちとら、今現在進行形で責任問題がチラついてんだからさ！」

サク達は少し距離があるからか、騎士や衛兵、謎の女性からも気づかれていない。

このままアリスの腕を引いて後ろに下がれば、気づかれることなくこの場から離脱することができるだろう。

だが、いくらサクが腕を引っ張ろうが、アリスが動く気配はなかった。

「サクくんは、あの子供を見ても何も思わないの？」

アリスが視線を向けている先。捕まっているだろう、子供の姿。

『マ、ママ……助けて……ッ！』

何も思わないわけがない。

今まで、サクがどれだけの人間を己の優しさで助けてきたと思っているのか？

ただ、転生してからは誰も助けないと決めていた。心に、優しさを押し留めていた。

今更ながらに気がつくが、いざ実際に誰かの危機を目の当たりにするのは転生してから初めてだ。

アリスの言葉と目の前の状況のせいで、留めていた優しさが揺さぶられる。

少女は震えて、泣き出しそうで……今まで戦いの中心に無理矢理立たされたからか、怯え切った瞳が誰かも分からない虚空に向けられていた。

「サクくんは優しい」

アリスは大きく深呼吸をした。

サクの魔術のことは他言無用だ。アリスはそれを承知している。

だが、サクを認めてもらうにはサクの力を誰かに示さないといけない。

自分ができる範囲はここまで――サクの力を見せるかどうかは、最終的に本人へと委ねる。

これなら、約束を破ることにはならないだろう。

しかし、今から口にすることは決してでまかせではない。

心の底から、サクに対して願っていることである。私を助けてくれた時のサクくんの顔は、凄く嬉しそうで……綺麗だったよ」

「その手はきっと、伸ばしたくても伸ばせないだけ。私を助けてくれた時のサクく

その言葉を皮切りに、アリスは一気に地面を蹴った。

「【我、翔けるは風の恩恵を賜りて】！」

魔術の一つ。風の力を借りたアリスの初速は目で辛うじて追えるほどのものへと変わり、あっという間に女へと距離を詰めていった。

速く走れば走るほど、受ける風の量も多くなる。

故に、深く被っていたフードは取れ、その端麗で誰もが知る素顔が露わとなった。

『なっ⁉』

『アリス様⁉　どうしてここに⁉』

隠れてコソコソ遊びに行った。ここで騎士達が顔を見て気づいてしまった以上、あとで怒られてしまうのはまず間違いないだろう。

しかし、アリスは気にも留めない。

地を駆ける最中、転がっていた剣を手に取り、眼前まで迫った女の足元へと横薙ぎに払う――が、寸前で女がアリスの剣を持っている腕を足で蹴ったことにより軌

道を逸される。

とはいえ、あっさり躱（かわ）されたことにめげるアリスではない。

「その子は返してもらうよ！」

「……王女？」

女の顔にも、想定外だと言わんばかりの表情が浮かんだ。

ただ、それも小さい。アリスの攻撃に対して、焦りすら見せていなかった。

「……僥倖（ぎょうこう）、なのかな？」

ふぅ、と。女は息を吐いて足を一歩踏み出す。

すると、辺りが一瞬だけ明るくなって――

（ま、ず……ッ⁉）

――爆（は）ぜた。

ここに来るまでに何度も聞いたあの衝撃音と同じような音を残して、間近で。

失敗したと、そう思って身構えたアリスだったが、ふと違和感を覚える。

（あれ……？）

いつまで経っても体に痛みが走らない。死んだか？　いや、でも意識も感覚もハッキリしている。むしろ、全身に温かくも頼もしい感触が伝わってきた。

恐る恐る目を開けると、目の前には立ち上る火柱。

そして、背後には己の体を抱き締めるサクの姿があった。

「サクくん！」

「クソッ、安易に飛び出してんじゃねぇよ……」

サクは悪態をつきながらゆっくりとアリスの体を離す。

あの時、嫌な予感がしたのだ。アリスが飛び出した瞬間、耳に残っている音がフラッシュバックするかのように。

――それは紛れもない、サクの勘だ。

今まで何度も繰り返してきた戦闘で培った己のセンス。

そして、最強とまで言わしめた男の戦闘技術の一端。

「ふふっ、来てくれると思った」

「……謀（はか）ったか？」

「ううん、そんなことはないよ。ただ、私が飛び出したらサクくんはもう一度助けてくれるんじゃないかなーって。それで――」

アリスは剣を掴み直し、切っ先を女へと向ける。

「助けたって選択肢を選んだサクくんなら、きっとあの子も助けてくれるって思ったの」

なんの根拠が？　そう聞き返したくなったが、すぐに口が閉じる。

きっと、ここで尋ね返しても「信じてた」などと曖昧な答えを返されるのがオチだ。

目下の問題は己が何をするか……そして、己がどうしたいかに他ならない。

『助けてよ……ママ……』

もう一度、サクの視界に泣き出しそうな少女の顔が映った。

ガサッ、と。サクの足が勝手に動く。

それを見て、アリスは表情を明るくさせた。

「サクくん！」

「お前はそこにいろ」

一歩、一歩とサクが足を踏み出していく。

水面の上を歩いて行くかのように、踏み込んだ瞬間に艶やかなステンドグラスが広がっていく。

やがて、その波紋は薄暗い空間の足場全体を包み込んだ。

「綺麗……」

アリスは感嘆する。夜景に残る、幻想的にまで見えたサクの魔術に。

騎士達も、サクの魔術を見て表情が驚きに染まる。

『な、なんだこれは……？』

『魔術師⁉　新手⁉』

『いや、王女様を庇ったぞ！　しかも、アリス様はあの男をサクと呼ばれた！』

『サクって……もしかして、あの公爵家のごく潰し⁉』

もう正体が勘づかれているなら仕方ない。

サクは邪魔だったフードを取り、その顔を女へと向ける。

「……もしかして、これは君がやったの？」

「だから？」

「あっ……ううん、なんでもない」

女はどこか含みのある言い方をすると、唐突に抱えていた少女をサクへとぶん投げた。

「きゃっ⁉」

「ッ⁉」

何故、いきなり攫った子供を捨てたのか？　疑問に思いながらも、サクは駆け寄って少女の体を抱き留める。

「大丈夫か？」

「う、うん……」

少女は無事に保護できた。胸の内に安堵が込み上げる。

だが、それもつかの間。女はサクに目もくれず走り出し——アリスの方へと向かった。

（クソがッ！　ただアリスに狙いを変えただけかよ！）

サクは少女を置いて同じように駆け始める。

「お前ら！　この子を頼む！」

『りょ、了解です！』

どうしてアリスに狙いを変えたのかは分からないが、このまま見過ごすわけにはいかない。

驚いて呆けている騎士達へ指示を飛ばし、サクは走りながら指を鳴らした。

すると、アリスと出会う直前に女の足元が膨れ上がり、一気に宙へと投げ出される。

「……あちゃー、ダメか」

上空へ飛んだ女は落ちながら肩を竦める。

そこへ、サクが彩られた剣を片手に飛んできた。

「……狙うなら王女。でも、面倒くさい護衛もいる」

「お守りだよ、どちらかというと！」

サクは人を殺すことに対して躊躇などしない。

落下している人間に大した身動きなどできず、投げ出された時点で首を刈り取られるのが普通。

故に、懐へ飛び込んだサクはそのまま横薙ぎに剣を払おうと――

「……残念、でした」

――した瞬間、視界が明るくなる。

そう気がついた瞬間、サクの目の前が一瞬にして爆ぜた。

だが――

「………………？」

爆ぜた箇所には肉片が散らばらず、代わりにステンドグラスのような欠片が飛び交うのを、女は目撃する。

どこに行った？　女は表情を変えぬまま辺りを見渡す。

するると、唐突に背後から異様な寒気を感じた。

「手品の引き出しが少なすぎるんじゃねぇのか、あァ？」

ゴンッッッッ！！！！！　と、いきなり頭へ重たい衝撃が走った。

「……ッ⁉」

女の体が勢いよく地面に叩きつけられる。

（……何が？）

サクの『世界』は多様性がある。

己の創造した空間の中から望んだ形の物体を創り出すことができ、イメージの繊細ささえ一定値を超えていれば作り出す物体の際限はない。

武器でも、彫像でも、建物でも——己の体でさえも。

サクの生み出した空間の中では、サク自身を含めた物体が壊れたとしても修復可能。

故に、破壊されようが何しようが、魔力が尽きない限りなんら致命傷にならないのだ。

それを、初めて出会った女が知るはずもなし。

体を吹き飛ばしたはずなのに、何故か頭上へと現れた……なんて、疑問に思って

もおかしくはなかった。

ただ、疑問に思ったのは女の方だけではない。

（こいつの魔術……詠唱してたか？）

女とは違って、綺麗に降り立ったサクは眉を顰めながら思う。

（この時代の魔術は、基本詠唱だろ？）

巻物(スクロール)などに書き上げた術式を読むか、暗記するか。

いずれにせよ、この時代の魔術師の主流(テンプレート)は詠唱という過程を必ず踏んでいる。

サクがこの時代に転生してから、無詠唱で魔術を扱う人間は見たこともなければ聞いたこともなかった。

無詠唱など、それこそ『世界』を扱う固有魔術(オリジナル)の域にまで達した魔術師だけ――

（まさか、な）

そんなことはあとからゆっくり聞き出せばいい。

まずは、目の前にいる女を捕まえるか……もしくは殺して脅威を排除しなければ。

「……ふふっ、どうりでこの前王女を連れてこられなかったわけだ」

フラフラと、女がゆっくりと立ち上がる。

「この前って……まさか、私を攫ったのはあなたなの⁉」

聞き捨てならない発言に、下がっていたはずのアリスが口を挟む。

しかし、女はアリスを一瞥するだけで問いに対する返答をすることはなかった。

「……誰でもいいから適当に連れてくる簡単なお仕事だったのに」

「だから、その仕事っていうのは——」

「……戦略的撤退。多分、私の方が弱いから」

そう言って、またしても視界が一瞬眩く輝いた。

だが、その一瞬だけの時間を——サクは逃がさない。

「逃がすと思うか？」

女の眼前に、何故かサクの姿が割り込んだ。

サクの鏡の『世界』において、場所の移動はそもそもの概念として設定されていない。

視界に映るもの全てが座標となり、作られた物体として定義されているサクは『新しく生み出す』という形で座標の上に己を移動させることができる。

そのため、サクの視界が良好であり、空間を広げたこの場では敵の逃走ルートなどあってないようなものであった。

しかし——

「……思わないけど、逃げられないとは思わないかな?」

もう一度、サクの眼前が眩く光る。

逃がさない、と。サクが咄嗟に腕を伸ばすが、今度は今までと比にならないほどの速さで女を中心に爆ぜる。

伸ばした腕が空を切り、視界が開けた時には何故か女の姿が消えてしまっていた。

(クソが……)

逃がした。どういう原理でこの場からいなくなったのかは分からないが、周囲を見渡しても女の姿はどこにもない。

サクは内心で悪態をつきながらも、大きく息を吐いてアリスの下へゆっくりと近づく。

「すまん、逃がした」

「ううん、大丈夫。逃がしちゃったのはもったいない気がするけど、サクくんはまたちゃんと私を守ってくれたんだもん。逆にお礼を言わなきゃいけない」

それに、と。

「見てよ、サクくん」

「あ?」

「サクくんのおかげで、あの子は助けられたんだよ」

アリスが指を差した先。

そこには、騎士達に保護されて泣きじゃくる女の子の姿。母親もいつの間にか合流したのか、抱き締めて同じように涙を流していた。

それを受けて、サクの顔に自然と安堵したような笑みが浮かぶ。

「やっぱり、サクくんは優しいね」

「そんなことは――」

「鏡、持ってきてあげようか？」

アリスに言われ、サクは慌てて自分の顔を触る。

いつの間にか口角が上がっており、頬が少し緩んでいるのが分かった。

「やめてくれ、なんか自分の中で色々と壊されていくような感じがするから」

「素直になればいいのに～」

「……いや、もうマジでやめて」

ごく潰しと言われた自分はどこに行ったのか？　八年も貫いてきた自分の決意が、たった一人の女の子（アリス）と出会ったことによって壊されていく。

ただ、自分の触った感じからして……自分はあの女の子を助けられたことに喜んでいるのだろう。

その証拠に、げっそりとしてしまっているサクの胸の内はどこかスッキリとしている。

不思議と不快感はないし、それどころかホッとしたような気持ちも――

「ん？　どうかした？」

いつの間にか見つめ続けていたのか、視線を受けたアリスは首を傾げる。

（……アリスを見ていると）

守れてよかったなと、強く感じた。

それは責任を追及されるから？

……いや、そうではないかもしれない。

「よかった」

少女を見ている時よりも素直に、サクの表情が温かいものへと変わっていく。

嫌がっていたはずなのに、変わってしまった要因に文句を言っていたはずなのに。

口から零れた言葉は、アリスの身を案じるもの。

柔らかい笑みも添えられて向けられたアリスは、一瞬だけ胸が高鳴ってしまう。

熱くなった頬を見られないようすぐさまサクから逸らし、落ち着かせるために何度も揉みほぐした。

「まぁ、結局あいつが何をしたかったのかはこれから調べる必要があるだろうが――」

よっこいせ、と。サクは唐突にアリスの体を抱え上げる。

唐突な行動に、アリスのせっかく引かせていた熱がまたしてもぶり返す。

「んにゃっ⁉　にゃ、にゃにを⁉」

「質問攻めに合う前に逃げるぞ！　お忍びがバレたお姫様とモブは現在進行形で怒られる一歩手前なんだからな！」

加えて、初めて『世界』をしたサクに関して色々と聞かれることになるだろう。あの魔術は一体なんだったのか？　それに、公爵家のごく潰しがどうしてあそこまで戦えるのか？　もう、根掘り葉掘りに決まっている。

きっと、聞きたいことなど山ほどあるだろうし、戸惑っているからこそ遠慮なく捲し立てられるはず。

そんなことになる前に退散した方が吉だろう。

サクとて、ある程度諦めるしかなかった部分はあるが、諦めなくても誤魔化し切れる部分は誤魔化したいと思っている。

だからこその、撤退。

色々考えなければならないことはあるが、目下面倒事に巻き込まれる前に立ち去らなければ。

「行くぞ、アリス！」

「行くっ！　行くから下ろして恥ずかしいしドキドキ止まんないからぁ聞いてよぉ！」

アリスの主張を無視して、サクは騎士や衛兵達から背を向けて走り始める。

背中越しに何やらたくさんの声が聞こえてきたが、サクが足を止めることはなかった。

おかげで屋敷に帰るまで、アリスはお姫様の要領で抱かれ続けた。

そのため、ミーシャやルガンに怒られるよりも前にサクはアリスからの折檻(せっかん)を受けることとなる。

理由は、恥ずかしかったのに一回も下ろしてくれなかったからであった。

第五章　唐突な別れと——

あれから一週間の時間が経った。

なんだかんだアリスが公爵家にやって来てからしばらくが経ち、新たなメンバーとの日々も違和感のないものとなっている。

夜祭も結局中断となったものの、それ以降は特になんの騒ぎも起こることもなく平和な日々が続いていた。

もちろん、誘拐、及び周辺の建物を壊した例の女は王国が新たに騎士を派遣して調査。加えて、アリスを勝手に連れ出したサクと勝手に抜け出したアリスは大人のルガンから説教を受けた。当たり前の結果である。

しかし——

（やっぱり、無詠唱っていうのは違和感があるな……）

少し日差しの強くなった昼頃。

サクは公爵家の屋敷にある書斎にて、一人文献を漁っていた。

というのも、突然現れた誘拐犯が使っていた魔術。

あの時は他にやるべきことが頭にあったためにスルーしていたが、こうして落ち着いてくると気になってしまう。

それ故に、珍しく遊ぶこともなくサクは書斎に籠っていた。

(前に調べたから間違ってはいないんだろうが、もう一度漁ってみても無詠唱で扱える記述は見つからない)

あるとしても、魔力の質や効率的な詠唱方法を謳う文献ぐらい。

魔力総量や質を求めて子供を作っていった貴族達の生い立ちという、少し興味をそそられる新しい知識しか見つからなかった。

公爵家が所有している文献は、それなりに数がある。

そのため、与えられる知識は他に比べても多いはずで、大体のものが揃っているのだ。

故に、ここで無詠唱——固有魔術についての記述がなければ、この時代には残っていないのだと考えるのが妥当だ。

にもかかわらず、あの女は平気で詠唱することなく魔術を扱っていた。

（俺と同じで転生したのか？　いや、その可能性を考えるぐらいだったら密かに『世界』が残っていると考えた方がまだ可能性が高い）

妥当な考えだったのだが、深く思考を進めていけばいくほど妥当な考えよりも妥当ではない方に結論が向く。

だからこそ余計に分からない。怠け者のサクがあの一件からずっと文献漁りをするぐらいには答えが見えなかった。

（そんで、問題はどうしてアリスを狙ったのかだな……）

王位継承権争いではない。その結論はもうついている。

であればどうしてアリスを狙ったのか？　あの時の女の発言からするに誰かを攫おうとしたが、優先順位の高いアリスを見つけたから狙いを変えたと考えた方がいい。

となると、本当はアリスという少女がほしかったのだろう。

パーティーでの一件も、殺害ではなく誘拐しようとしていた。口振りからしても関連があるのは間違いない。

では、関連があると仮定して動機はなんだ？　再び疑問にぶつかる。

（女の子とアリスとの違いは年齢と立場。年齢だけなら初めから子供なんて狙わず

に、若い女を攫っておけばよかったはず。そうしなかったってことは、立場が理由)

立場が違うと何が違うのか？　脅迫材料？　新しいテロ？　もしくは――

(……そういえば、さっき面白い文献を見つけたな)

サクはテーブルに積み上げた文献の中から一冊を取り出す。

そして、パラパラと印をつけた場所まで捲っていった。

(大多数が魔術を扱う中、貴族が魔術を得意とするのには理由がある)

この時代において、魔術は便利で誰もが認知しているものだ。

しかし、誰でも扱えるというわけではなく、扱える人間も少し限られてくる。

その中で、やはり貴族の立場にいる人間はほぼ全員が魔術を扱えるという。

加えて、扱える人間も平民に比べれば詠唱センスも魔術の総量も大きいらしい。

どうして？　理由は――

(才能ある人間同士で結婚し、魔術に適応のある人間を増やしていったから)

転生する前の時代では存在しなかった話。

文献によると、潜在的魔術の才能は血によって左右されるとのこと。

総量の大きい者同士で子を成せば、より大きな総量を持つ子が産まれ、魔力の質がいい人間同士が子供を成せば、よりよい質を持つ子供が産まれる。

そうして、貴族達は人を選んで結婚し、その血を強く深めていった。

（俺がこの話を知らないのは、まだ結婚の話が挙がってないからか。きっと、ごく潰しが変な人間に引っかからないよう父上が調整してくれたんだろうな）

とはいえ、この話はとても興味深い。

（恐らく、魔術に対する追求が薄くなったのは血に依存しすぎたから。才能のある人間を産めば、努力しなくても強い魔術師は産まれる。そりゃ、『世界』を作ろうとする努力もしなくなるわけだ）

サクは文献を閉じ、もう一度積み上げた文献の上へと置く。

そして、陽の光が射し込む窓へと視線を向けた。

（そういえば、昔にも「血が命題」って言っている輩がいたな）

ふと、サクは転生する前のことを思い出す。

（『魔女の御家人』。才能のある魔術師の血を取り込めば、より強い魔術師になれると信じ切っているイカれた集団……）

優秀な魔術師の血を己の体に取り込むことによって、才能を手にしようと試みた集団が転生する前の時代に存在していた。

ただ、その集団はサクによって壊滅させられている。

何せ、血を取り込むまでの手段が非道であり、残虐であったからだ。

その集団は優秀な魔術師を拉致、誘拐して解剖、実験を繰り返して命題である「血の搾取」を行っていた。

『魔女の御家人』によって出た被害者の人数は数十人に及び、その全てが非情にも命を落としている。

だからこそ、英雄と呼ばれたサクが駆り出され、これ以上の被害を出さないよう壊滅させたのだ。

(あいつらは血を直接自分達に取り込んでいたから毛色は違うんだろうが……血に関しての考え方は貴族に似てるな)

直接取り込んで己が優秀な魔術師になるか、自分達の世代を使って優秀な魔術師を輩出するか。

考え方の視点は一緒だ。ただ、非道に進むか当たり前に新たな要素を組み込むかの違い。

(もしかして、アリスを狙ったのは血がほしかったからか……?)

貴族達が優秀な魔術師を生み出すために優秀な魔術師同士の結婚を重ねてきたの

であれば、素質は充分なものとなるだろう。

中でも、血筋を誰よりも重んじる王族であれば、もしかしなくても血が濃いのかもしれない。

血が濃ければ、どの貴族よりも優秀な素体の可能性がある。

だから狙ったのか？　それとも――

（……いや、可能性は低いな。あの集団は間違いなく俺が壊滅させた）

後世になんて残さないように、残党が生まれないように徹底的に潰したのを覚えている。

故に、今の時代にまで思想と命題が受け継がれているわけがないのだ。

サクは頭の中に浮かんだ考えを取り払う。

「あれ、こんなところにいたんですね、坊ちゃん」

その時、部屋の扉が開かれてメイド服を着た一人の少女が顔を出す。

ミーシャの姿が視界に映ると、サクは文献を閉じてゆっくりと立ち上がった。

「飯か？」

「そうですよ～、坊ちゃんの楽しみな楽しみなお昼ご飯です」

「そこまで食い意地張ってないんだが？」

からかうような笑みを浮かべるミーシャと、ため息を吐くサク。

普通の主従ではあり得ないような光景なのだろうが、これほど仲睦まじいと思う主従の姿を見たことはない。

きっと、サクとミーシャにしかこのようなやり取りはできないだろう。

「にしても、最近は珍しいですね。坊ちゃんが遊びに行かずに書斎に引き籠るなんて」

食堂へと向かうサクが横に並んだのを確認して、ミーシャは書斎の扉を閉める。

「あぁ、気になることがあったからな」

「第一王女様、寂しそうにしてましたよ」

「そういや、最近あんまり構ってやれなかったな」

「でも『サクくんが真面目に取り組んでいるのを邪魔するのも……ッ!』って唸ってました」

「すげぇそのセリフを吐いている時のアリスが目に浮かぶんだが」

アリスはサクに更生してほしいと思っている。

構ってほしいというのはサクに対して甘えたがりのアリスの本音だろうが、遊ばず真面目に文献を漁っている姿を邪魔できるはずもなし。

どこからどう見ても、先程までのサクはアリスが当初望んでいた姿なのだ。

「だったら、そろそろ構ってやりますかねぇー。調べたいことも大体調べ終えたし」

「そうなんですか？」

「まぁな。といっても、結局『分からない』で終わったけども」

食堂へ続く廊下を歩きながら、サクは大きく背伸びをする。

「アリスとどこに行こうかな。のんびりピクニックでもいいし、農作業を手伝ってもらうっていうのもいい。あ、そういえばこの前買うだけ買って手をつけてない玩具があったよな？　あれを一緒に試してみるのもアリ——」

そう言いかけた瞬間、サクの言葉が止まった。

いきなり何故口が動かなくなったのか？　それは、横を歩くミーシャがニマニマと生温かい目を向けていたからだ。

「初めはあんなに嫌がっていたのに、すっかり第一王女様と仲良しですねぇ」

「ち、ちが……っ！」

少し前までは『面倒事』という認識でしかなかった。

構ってこそいるものの、更生させたいとしきりに言ってくるアリスは邪魔だったはず。

なのに、今のサクの言葉は浮ついていてどこか嬉しそうであった。

まるで、アリスと過ごす日々が楽しいとでも言っているかのように。

「あの夜祭からですよね？　第一王女様を見る目も温かくなりましたし」

「やめろ、あの日のことを思い出させるな。最近は父上の折檻が睡眠の妨げになってるんだ」

「夢に出てくるほどのトラウマになってるじゃないですか」

ミーシャは実際に折檻を受けている姿を見ていないのでなんとも言えないのだが、今のサクの顔を見てなんとなく度合いを察した。

今日は添い寝でもしてあげましょうと、そう思うぐらいには。

「夜祭で思い出したんですけど、あれから坊ちゃんの話がめちゃくちゃ挙がってくるんですよ。知ってます？」

「それも記憶から消したいやつなんだけど、掘り出したい趣味でもあるの？」

サクが己の魔術を初めて周囲に見せたことは、あっという間に話が広がった。

魔術を嚙んでいる騎士ですら、サクの見せた魔術を見たことがないという。

当然だ。サクの魔術は固有魔術(オリジナル)――衰退した己だけの『世界』なのだから。

無詠唱、かつ空間ですら支配してしまえる維持力、効果範囲の広さ、汎用性。

きっと、居合わせた人間はこの世のものとは思えない事象を目にしたことだろう。

驚けば、誰かに伝えたくなる。より深い興味のことなら、際限なく話は広がっていく。

公爵家のごく潰しが見たこともない魔術を扱った——無能だと、遊び人のクズだと蔑まれていたはずなのに。そんなの、ホットな話題になるに決まっている。

「……普通さ、こういうのって信じられんもんじゃないの？　俺の評判からしてみるに」

「信憑性が高いお話だったからじゃないですか？　ほら、何やら目撃者も多かったわけですし」

「にしてもだろ……」

「ちなみに、魔術師協会からアポなしでお客さんが来てますけど、どうします？」

「飯って言ってなかったっけ？」

「坊ちゃんなら追い返すだろうなーって思ったので」

よく分かってらっしゃる、と。サクはよき理解者の頭を撫でた。

「ってか、これ何人目で何回目だよ？　魔術師協会っていうのは暇人だらけなのか?」

「魔術を探求している人達だからじゃないですかね？　知的欲求は中々抑えきれない立派な欲求です」

魔術師を育て、魔術を研究する集団。

それは国から正式に認められた集団であり、実際に多くの魔術師を輩出、より優秀な魔術師を育て上げてきた。

そして、一番の名目はなんといっても魔術の探求。

既存の魔術の効率化、より強力な術式構築。やっていることは様々であったが、それでも未だに誰も『世界』までは辿り着いていない。

だからこそ、己達が知らない魔術に興味を示してわざわざ足を運んできたのだろう。突撃お宅訪問までして。

もちろん、それをまともに相手にするかどうかはまた別の話。

いくら国から正式に認められ、ある程度影響力のある集団だからといってこれ以上面倒事は勘弁だ。というより、せめてアポ入れて来いやコラ。

「その割には、ミーシャって何も聞かないよな。他の使用人達は怖くて聞けないっていうのは遠巻きに見て分かってはいるが……」

ちなみに、父親であるルガンにはもう話している。

流石にアリスの時同様、転生したことまでは言わなかった。本当は全部黙秘を貫きたかったのだが、折檻中に尋ねられれば口が勝手に開いて勝手に体が動いてしまうため仕方ない。

「覚えてます？　いつぞや、坊ちゃんが魔術のお話をしてくれた時のこと」

確かパーティーに行く前の馬車の時だっただろうか？　あの時は確か、口を滑らせた流れで『世界』のことを話したような気がする。

「ぶっちゃけ、何かあるんだろうなーって感じがしたんですよ。だから正直、そこまでの驚きはないというか」

「マジっすか」

「それに、私は魔術のことなんてからっきしですから。使えるとしてもメイド業に役立つ小さなものです。だから、私の中では坊ちゃんは坊ちゃん。変わらないダメダメな男の子の認識でしかないです」

サクはミーシャの言葉に一瞬だけ呆けてしまう。

ただ、それも本当に一瞬だけ。すぐさま小さく口元を綻ばせた。

こういう、深く追及してくれないのはありがたい。

何を思うわけでもなく、何を期待するわけでもなく、何を求めるわけでもなく、いつも通り自分を見てくれる。

昔なら、このようなことは少なかった。それこそ、幼なじみの女の子ぐらいではなかっただろうか？

もう、自分のためにしか力を振るいたくない。そう願っているサクにとっては、ミーシャの態度は嬉しい以外の何ものでもなかった。

だからこそ、サクは今までミーシャを大切にしてきたし、何かあれば真っ先に駆けつける数少ない『大事な人』として認定している。

とはいえ、こんなこと気恥ずかしくて本人には言えたものではないが。

「あ、でもちょっと見てみたい気はします」

「まぁ、そんぐらいなら」

少しばかり好奇心を煽られたミーシャの言葉を受けて、サクは手元に色鮮やかな硝子の欠片を生み出した。

「ステンドグラス……？」

「いや、これは鏡だぞ。ただ色付けしてるだけだし」

何もせずとも、ステンドグラスは一瞬で無色透明に変わる。

覗き込んでいるミーシャの可愛い顔立ちが綺麗に映っていることから、確かに鏡なのだと分かった。

「なんで色付けしてるんです？」

「見栄えがいいからな」

「浅い理由」

仕方ない。何せ、サクが初めて固有魔術（オリジナル）の域に達したのが十二ぐらいの時だったのだから。

思春期真っ盛りな男の子が見栄えを気にするなど当たり前である。

ましてや、あの時はお隣に気になっている幼なじみがいたのだからなおさらだ。

「浅くて悪かったな。今からでも変えられるが、愛着があるから仕方ないんだよ——」

そうこう話しているうちに、だだっ広い屋敷の中にある食堂の前までやって来ていた。

アリスはもう先に来ているのだろうか？　そう思い、ミーシャが開けてくれた扉を先に潜る。

すると、案の定アリスは先にやって来ており、頬杖を突きながらテーブルの前へと座っていた。

「あ、おっそーい！　最近注目の的だからって重役出勤はいかがだと思うなー！」

「スポットライトを浴びさせたのはお前だろうが今すぐ詫びろコラ」

「きゃー、重役が怒ってくるー！」

悪びれる様子もなく、楽しげに体をわざとらしく抱えるアリス。

それを受け、余計にもイラつきが増すサクであった。

「まぁ、サクくんは今や話題を搔攫（かっさら）う大衆の人気者だからねぇ～、私の方にも色々と連絡が来たよ」

その内容など、聞かずとも察せられる。

どうせ、誰も発掘しなかった戦力に対して王族の間で一つ問題視されたのだろう。

何故、公爵家のごく潰しと接触したのか？　もしかして初めから知っていて仲間に取り込もうと？　などといった色々な憶測が連絡としてきたはず。

そこまで頭が悪くないサクくんはげっそりとした顔で、元凶へ恨めしげに睨むのであった。

「そんな睨まないでよ。反省はしてないけど、申し訳なくは思ってるんだよ？」

「反省をしろよ、まず」

「あははっ！　でも、意外と悪くないでしょ？　面倒事は嫌かもしれないけど、私は知ってるんだぜ——あのあと、助けた子供からお礼を言われた時、すっごい嬉しそうな顔をしてたって」

　この一週間、珍しくもサクの下へ貴族ではない平民の客が現れた。

　サクが助けた女の子。しかも、母親も一緒だったのだ。

　どんな用件だったか？　それは、下心が一切ない……単純なお礼であった。

　今でもしっかりと記憶に残っている。女の子の嬉しそうな感謝の色しか乗っていない無垢な瞳を。

「私、坊ちゃんがあの子からもらった花をひっそりと部屋に飾っているのを知っています」

「おい待て、なんで知ってる？　ベッドの下にちゃんと隠してたんだぞ」

「堂々と飾ればいいのにー」

　日に当たらないということは考えなかったようだ。

　サクは気恥ずかしそうな表情を見せながら、アリスの対面に座った。

　その時——

「ねぇ、サクくん」

突然、画面が切り替わるかのようにアリスの表情が真剣なものへと変わる。

一瞬での変化。サクは思わず眉を顰めてしまう。

「さっきさ、私の方にも色々と連絡が来たって言ったじゃん？」

「あぁ、そうだな」

「そのことなんだけど……」

そして、アリスはどこか名残惜しそうな声音で口にするのであった。

「私、公務に行かなくちゃいけなくなった」

王族の公務は至って単純。
魔物や盗賊といった討伐対象を自ら足を運んで討伐するということ。
もちろん、何人かしっかり護衛を連れて行くが、間違いなく命の危険が伴う。
貴族は国民を守らなければいけないというノブレス・オブリージュの名の下に、国王から命を与えられると剣を握らなければならない。

これこそ、誰にでも分かる王族の責務である。

成人を迎えたアリスにはちょうどいいタイミングだろう。

ある程度落ち着き、皆から疑問に思われない程度の期間を空けているこの時期。

確かに、アリス自身も周囲もさほど困らない瞬間。命が来てもおかしくはない時であった。

内々的に「命を狙われているから休養」というものがあったとしても、こればかりは言い訳などできず、覆しようのないもの。

今回の公務は、公爵領から比較的近い場所であった。

馬車で片道五時間ほどの距離にある隣街。山々に囲まれ、のどかで自然が広がる穏やかな子爵領である。

自然が豊富なため、人里に現れない魔獣が生息しており、比較的少ない方ではあるが、この頃農作物に被害を与えていた。

アリスのやるべきことは、この魔獣の討伐だ。

（……っていう話を聞かされて一週間、か）

またしても穏やかな今日。

サクは一人自室の窓から外の景色をぼんやりと眺めていた。

（そういえば、今日出発するんだったか）

公務に期限は設けられていないが、あまりのんびりしていても意味がない。やるべきことは早々に終わらせないと、後々に支障が出る可能性がある。

そのため、アリスと護衛陣は本日公爵領を出発する予定であった。

当然、公務が終わったからといってもう一度ここへ戻ってくる……なんてことはない。

公務と同じく、本来はこの屋敷にもあまり長居するものではないのだ。

婚約を結んでいるのであればまだしも、結んでもいない異性と一緒の空間にいるともなれば外聞的にもよろしくないのは誰でも分かる話。これはある意味いいタイミングなのだ。

そんなこと、サクは言われなくても理解している。

理解はしているのだが――

「もう、坊ちゃん。いつまでボーッとしているつもりですか」

部屋の掃除をしていたミーシャが、軽くサクの頭を小突く。

「さみじぃー」

「第一王女様が来た時とはえらい反応の違いですね」

あんだけ嫌がっていたのに、と。ミーシャは苦笑いを浮かべる。

すっかり絆(ほだ)されているようだが、ミーシャとしては主人が成長しているように見えて少し嬉しかった。

「そんなに寂しいなら、公務について行ったらどうですか？　坊ちゃん、誘拐犯を退けるぐらい強いんですよね？」

「ばかちん、公務に知らん人間がでしゃばってどうする？　適当に護衛を引き連れているように見えるが、あぁ見えてもちゃんと国王から命を受けて護衛してんだよ」

王族の護衛は誰でも好きになれるわけではない。

王族に認められた選りすぐりのメンバーの中から、更に相性のいい人間を選ぶ。そうして初めて外へ出掛けたり、公務に赴くのだ。

もしも、そこへ「俺、参加したーい」などといった乱入者が現れたらどうなるのか？　護衛は誰かを護るために鍛えられたスペシャリスト。いくら腕っぷしが強いからといって、不測の事態に対する対処や連携が取れるわけではない。

邪魔が入れば計画に支障が出る。故に、おいそれと輪の中に割って入るわけにはいかないのだ。

そもそもの話、国王からの命は絶対遵守。そこに割って入るということは、命に背(そむ)くのと同義である。

「だから、俺は何も言わずに心の中で見送るしかないんだよ」

「挨拶ぐらいは普通にしましょーよー」

「名残惜しさを与えないための気遣いでっせ、お嬢ちゃん。これこそモテる男のスキルさ」

名残惜しさを感じたくないのは一体どちらだろうか？　ミーシャは素直じゃないサクの頭を軽く叩いた。

その時、いきなり扉が開け放たれる。

「こらー！　そろそろアリスちゃんのお別れタイムだっていうのに、お見送りもなしとか何事かー！」

「噂をすれば」

「タイミングって、物語を作る上でしっかり意識しなきゃいけないことですよね」

タイミングばっちり、噂をすれば。二人は感心しているが、当の現れた本人は頰を脹らませて不機嫌である。

「なんでお見送りしてくれないの⁉　私、ずっと部屋でお菓子食べながら本読んで待ってたんだよ⁉」

「今から外に出る人間の態度じゃねぇな」

「むしろ坊ちゃんのような引き籠りの行動です」

優雅な休日を満喫している人間そのものであった。

「いやなに、俺なりの気遣いなんだよ。その方が名残惜しくないだろうなーって」

「……サクくん、モヤモヤするんだよ。正直、お見送りしてくれた方が女の子的にはポイント高いよ」

「ふむ、勉強になった」

アリスのジト目を受けて、サクは肩を竦める。

しかし、これはサクなりのジョークだ。本当に見送りをしようと思っていなかったわけではない。

使用人に待機させ、アリスが出発するタイミングを教えてもらえるよう手配はしてあった。

部屋でずっと待っていたアリスが「出るよー」と言えば、すぐさま見送りに出ただろう。

とはいえ、アリスの言いたいことも分かるので、サクは何も言わずにゆっくりと立ち上がる。

「んじゃ、行くかアリス。ちゃんと馬車まで見送ってやるよ」

さもいつも通りに。今から別れるのだという空気を感じさせないまま、サクは入ってきたアリスを外へと促した。

本当にいつもと変わらない。変に気を遣う必要がなくて、一緒にいて安心するいつもの様子。

アリスは、そんな背中を追いかけながらついて行く。頼れる、いつも通りの背中に不満を抱きながら。

(……もっと、もっとさぁ)

寂しそうな顔をしてくれてもいいじゃん。

名残惜しそうにしてくれてもいいじゃん。

確かに短い期間だったけど、一緒にいて楽しかったのに。あんなにいっぱい笑ったのに。

(そりゃ、サクくんにとって私は迷惑な存在だったってのは分かるけど)

突然押しかけて、サクが望みもしない更生という恩返しを押し付けて、サクの実力すら露見させた。

申し訳なくは思っているが、後悔はしていない。

サクが他人に認められるようになれば、今後の貴族生活は絶対に生きやすくなる。

侮られなんかしない、仲間外れにされない、馬鹿にされない、策謀にハメられることはない。

褒められ、頼られ、認められ——そうした生活ほど心が満たされるのは、自明の理だ。

サク自身は貴重ではないと思っている……最悪、それでもいい。

ミーシャを筆頭に、家族が認めてくれたらそれでもいいのかもしれない。

だが、赤の他人の中では自分だけでもサクのことは認めてあげたいし、すでに認めている。

ありがた迷惑かもしれないが、アリスにとってサクという人間は恩人なのだ。

(ううん、それだけじゃない)

サクの後姿を見つめながら、少し胸が締め付けられる。

恩返しという目的もあった。しかし、それ以上に——己はサクにどこか惹かれてしまっているのだろう。

名前、憶えていてくれたらいいな。

たまにでいいから会いに来てほしいな。

また一緒にどこか出かけたり、お勉強したりしたいな。

あなたの『大事な人』の中に、私を入れてほしいな。

だからこそ、こんな誰にでもするような寂しい反応を見せてほしくなかったのだ。

見送りに来なかったのはサクなりのジョークが含まれていたんだと、ちゃんとアリスは理解している。

でも、この反応は嫌だな。

一ヶ月以上も一緒に過ごしてきたのに、私はそこまであなたの心に刻まれなかったの？

歩いていると、悔しさと寂しさが入り混じって涙が出てきそうになる。

そして、涙が零れ落ちないよう必死に我慢していると、いよいよ馬車の前までやって来てしまっていた。

「んじゃ、ここでお別れだな」

サクが振り返り、アリスに馬車の中までの道を譲る。

本当にもう何もないんだなと、アリスは寂しさ以上になんだか……苛立ちが込み上げてきた。

社交界へ滅多に顔を出さないサクに次、いつ会えるか分からないというのにこの対応。

そこまでドラマチックな別れは求めていないが、せめて名残惜しそうな顔ぐらいしろよ馬鹿。

「……ばーか」

アリスは「もう知らない」と、内心で更に愚痴りながら馬車へと乗り込んだ。

横には護衛の人間が馬に乗って待機している。荷物も積載されており、いつでも出発できる状態だ。

開き直ったアリスは早く出ろと思った。あ、でもミーシャちゃんにはしっかりお別れしたいな。

閉めようとした侍女の手を止めて、最後に端麗な顔を出す。

その時――

「アリス、これやるよ」

そう言って、サクが唐突にアリスの髪へと触れた。

何をしているんだろ？　そう思っていると、サクの手がゆっくりと離れる。

感触の残った髪へ手を伸ばし、視線を向けると——そこには、彩り鮮やかな髪留めがつけられていた。

どう表現したらいいのか？　まるで、ステンドグラスを溶かして無理矢理髪留めにしたかのよう。こんなの、今までどんなお店に行っても見たことはなかった。

綺麗だ。そう思うのと同時に、ふと疑問に思った。

「サクくん、これ……」

「お土産とお守りだな」

サクは、少し気恥ずかしそうな表情を浮かべる。

「せっかくうちの領地に来たのにお土産もなしっていうのはどうかなって思ってさ。でも、正直女の子が喜びそうなのとかあんまり分からねぇし……あー、なんだ。その代わりってやつだ」

「その代わり？」

「喜びそうなものは分からねぇが、代わりに安心感をあげようかなって」

ゆっくりと、サクはアリスの艶やかな髪をそっと撫で始めた。

気遣うような、胸まで温かくなるような、ずっと触れていたくなるような感触。

「アリス、もしこれから自分の身に何かあったら遠慮なくこの髪留めを砕け」

「えっ」

「そいつは砕くと俺に合図がくるものでな、それをお前にやる」

そして、サクは少年のような無邪気で頼もしい笑みを見せるのであった。

「俺がいつでも守ってやるよ。それが、俺からアリスにやる餞別だ」

その言葉を受けて、アリスは引いていた涙が再び溜まっていくのを感じた。

素っ気なく見送られると思っていたのに、こんなものを用意してくれていたなんて。

サクは、基本的に他人を助けようとなんか思わない。

アリスを助けた時は偶然居合わせただけ、夜祭の時はそういう状況になってしまったため。

誰かに促されず、自らの意思で誰かを守りたいという意思を示したのは、転生してからというもの初めてであった。

そんなサクがこんなものを用意してくれた。恐らく、サクの魔術で作ったものなのだろう。

サクが助ける人は、己の中で『大事な人』だと認識した人にだけ。

本当は誰かを助けたいと思っているのに、中々素直になれない理由がある。

転生したという事情こそ知らないものの、なんとなくそれはアリスにも理解している。

理解しているからこそ、アリスは嬉しかったのだ——あぁ、サクくんは私のことを大事な人だと認識してくれているんだ、と。

サクの心の中に入りたい。

サクの中で自分という存在が特別になりたい。

王族という立場関係なく、一人の女の子としてそう思っていたからこそ、アリスの胸の内に言いようのない感情が湧き上がった。

だからからか、思わず馬車を降りてサクへと勢いよく飛びついた。

「お、おいっ！」

「ありがとっ、サクくん！　これ、大事にするね！」

「いや、遠慮なく壊してくれていいんだが」

唐突に訪れた柔らかい感触に、仄（ほの）かに香る甘い匂い。

一瞬だけ可愛い女の子の体温にドキッとしたが、すぐさまサクの顔に笑みが浮かぶ。

「今生の別れ……なんてことにはしたくねぇな」

サクは、抱きついてきたアリスの背中を優しくさする。

「いつでも遊びに来い。そんで、堂々と胸張って怯えずに生きろ——何があっても、俺がお前を守ってやるから」

どうしてこんなことを言っているのだろう？　もう、身近な『大事な人』しか助けないと決めたはずなのに。

確かに、あの小さな女の子を助けた時は嬉しかった。

久しぶりに誰かに手を差し伸べる。昔、己の気持ちに従って後悔していた時に味わっていた感情だった。

しかし、もう一度誰かに手を差し伸べたいか——そう聞かれると、恐らく首を横に振る。

それでも、アリスにはそう言ってしまった。

つまるところ、もうアリスは自分にとってただの迷惑な女の子でなくなっているということだ。

「うんっ！」

花の咲くような満面の笑み。

馬車に乗り込む時とはうって変わった笑顔はサクの顔に熱を与えた。

「第一王女様、私からはこれをどうぞです」

横で見守っていたミーシャは、一つのバスケットをアリスに差し出した。

「ミーシャちゃん手作りサンドイッチです。公務のことはよく分からないですけど、お腹が空いたら食べてください。陰ながら応援しています」

「うわぁ……ミーシャちゃんもありがとぉー！」

「いいから、早く乗り込め。護衛陣が待ってるぞ」

温かさに触れたのか、アリスは瞳から堂々と涙を流しながらバスケットを受け取った。

涙を拭き、想定以上の見送りに名残惜しさを感じつつ、サクに背中を押されて馬車へと乗り込み始める。

「今度、サクくんが王城に遊びに来てね！　公務終わったら手紙出すから！」

「はいはい、分かったよ」

「絶対！　絶対だよ！」

「分かったから、もう出発しろ。あんまり長居なんかするもんじゃねぇだろ」

名残惜しいのはサクも同じなのだ。

グッと寂しさを堪え、馬車の扉が閉まるのを確認する。

そして、馬車はゆっくりと走り始めた。

「ばいばーい！　楽しかった！　本当にありがとうね！」

「頑張ってくださーい！　応援してまーす！」

馬車の車窓越しにアリスが手を振るので、サクも小さく手を振り返す。横にいるミーシャは、目尻に涙を浮かべながら大きく手を振っていた。

徐々に遠くなっていく馬車。騒がしい生活はごめんだが、こうしていなくなるんだという実感を与えられると、余計にも寂しさを感じる。気を抜けば、横にいるミーシャの涙をもらってしまいそうだ。

そう思った瞬間――

「サクくーん！」

アリスがめいっぱい車窓から体を覗かせた。

すると、大きく息を吸ってこれ以上にないぐらい大きな声を出した。

「私、サクくんのこと大好きだよー！」

「はぁっ⁉」

唐突な告白に、サクは思わず驚いてしまう。

してやったり。上手いこと驚かせたことに喜んでいるのか、アリスは遠目からも分かるぐらい悪戯めいた笑みを見せると、今度こそと馬車へと体を戻した。

やがて、馬車は角を曲がって視界から消えていく。

残された屋敷の前には、先程までとは打って変わった静寂が辺りを包んでいた。

「よかったですね、あんな可愛い子に告白されて」

「……うっせーよ」

見えなくなった瞬間、サクは背中を向けて屋敷へと歩き始める。

寂しさ、名残惜しさ。本来であれば少し沈んだ顔を見せるのだろうが、この時のサクの顔は酷く真っ赤であった。

冗談だと分かっていても、それほど最後のアリスの言葉が効いたのだろう。

急いでサクの横へ並んだミーシャは、アリスと同じくからかうような笑みを見せる。

「坊ちゃんにようやく春が来て、超可愛いメイドのミーシャちゃんは嬉しいです」

「給料下げるぞ、コラ」

「わぁー！　それは勘弁ですぅー！」

一ヶ月以上の期間を費やし、ようやく馴染んできたアリスを含めた環境。

それが消え、これからはいつも通りの日常が始まる——

「……よぉーし、じゃあ始めよっか」

「王女があの男のところから去ったみたいだしね。やれやれ、長かったもんだ」

「……うん、ようやく動ける」

「ならボクも頑張るとするかな。これも魔女になるためだし」

「……れっつ、ぱーてぃーたいむ」

「ふへっ……ふへへへっ」
サク達の下を離れてから約四時間。

自然ばかりの景色が車窓越しに流れる中、中にいるアリスは不気味に何故か一人で笑い続けていた。

「アリス様、先程からいかがされましたか？」

横を馬に乗って歩く護衛の騎士一人が、窓からアリスの顔を窺う。

「えへへっ……サクくんから初めてプレゼントもらったの～」

要するに浮かれているのだ。ここ四時間、サクと別れてから。

自慢するように見せてくる髪留めは見たこともないもの。どう加工すれば、ステンドグラスのような硝子が綺麗な髪留めになるのか？　材質もどこか変だ。彩りある硝子のはずなのに、覗いている自分やアリスの顔がくっきり映っている。

そして何より、アリスの顔だ。

だらしなく緩みきっており、嬉しさがこれでもかと滲んでいる。

これではまるで恋する乙女——一国の王女が、あんな公爵家のごく潰しにお熱など、考えられなかった。

（いや、結局あの男はアリス様を二度も救ったらしい。となれば、噂も存外的外れかもしれない）

ただ、自堕落な姿はいつも公爵家の屋敷で見てきた。

　この護衛はサクの力を間近で見たわけがない。故に、外聞よりも己の目で見た認識こそ正解だと認識してしまう。

　きっと、アリス様の一時の間違いだろう。騎士は結局そう判断した。

「はぁ……浮かれるのは構いませんが、気を引き締めてください。一度子爵家に顔を出せば、そこからは公務です」

「逆に言えば、子爵に会うまでは浮かれてもいいってこと！」

「それはそうですが……」

「ふへへっ……早く終わらせてお手紙書かなきゃ。今度はお茶会にサクくんを招待するんだぁ」

　本当に一時の間違いだろうか？　あまりの浮かれように、先程下した結論が揺らぎそうになる。

「そういえば、私を狙った人って結局分からなかったねぇ」

　髪留めを改めて自分でつけ直し、アリスは口にする。

「申し訳ございません、騎士総出で調べたのですが」

「ううん、そこは別に責めてないんだけど」

　ただ、心にモヤは残る。

王位継承権争いによって狙われたわけではないというのはすでに調べがついている。

恐らく、夜祭で現れた人間こそが何かしらに関与しているのだということも見当がついていた。

しかし、そこから先が何も分かっていない。

どれだけ調べても、あの誘拐犯の素性も姿も見つからず、結局公務が先に入ってしまった。

誰が、どんな目的で自分を狙うのだろう？　いや、関係ない——

(何かあったら、サクくんが守ってくれるわけだし♪)

どういう原理で砕いた瞬間にサクへ知らせが届くかは分かってはいない。

だが、サクが駆けつけると言ったのだ——あの照れ屋な優しい人が、安直な励ましだけで終わるはずがないだろう。きっと、ちゃんと助けてくれる。

(まぁ、他力本願に縋るばかりじゃダメなんだけどね)

アリスだって、学園を飛び級で卒業した優秀児だ。

魔術に関しても、剣術に関してもそれなりに使える自信はある。

パーティーでは不覚を取ってしまったが、他ではそう簡単に負けるわけがない。

これは決して慢心ではないはず。

もちろん、夜祭で出会った人間と相対すれば負けるだろうが——ある程度頑張れる。

頑張ってダメなら、サクを呼ぼう。

サクを呼ぶということは、同じ危険地帯に立たせるということだ。

優しい少女は、己の命よりも他者の命を慮る。王女という立場を抜きにして。

「ご安心ください。今回は公務につき、護衛の人数もしっかり揃えております。何かあれば、命に代えてもアリス様をお守りいたします」

今回の護衛の人数は十人。その十人全てが、王家から認められた直属の騎士達だ。

夜祭にいた騎士よりも遥かに腕が立ち、他者に引けを取らない実力がある。

「うん、頼りにしてるぜ♪　といっても、今回は魔獣を討伐するだけなんだけどね」

そうだ、今回の公務は魔獣を討伐するだけ。

命の危険があることには変わりないが、気を抜かなければアリス一人でも余裕で対処ができる。

それに加えて、十人もの護衛騎士がいるのだ。何も不安がることはな——

　ウウウウウウウウウウウウウウンンンッッッ!!!


　と、突然馬車の車窓が音と共に眩く光った。

「な、何事だ⁉」

　先程話していた騎士が驚いて窓を向く。するともう一度眩い光が視界を包み、やがて目の前が赤黒い色を残して爆ぜた。

『敵襲！　敵襲！』

『なんだ、どこにいる⁉』

『いたぞ、正面だ！　陣形を取れ！』

　馬車が止まり、騎士達が一斉に臨戦態勢に入った。それは声で分かる。

　そしてアリスは……一人、馬車の中で息を呑んでいた。

（こ、これって……！）

　夜祭で見たやつに似ている。

　詠唱なんかせずに、視界にあるもの全てを飲み込む爆発。

　アリスは慌てて馬車の中から飛び出した。その直後、少し離れた場所でもう一度激しく爆ぜる。

「アリス様、馬車へお戻りください！」

「馬車の方が危ないよ！　あからさまに狙ってくださいって言ってるようなものじゃん！」

アリスの主張は、あくまで王女である自分が狙われているという前提であれば正しいもの。

どちらが身の安全に天秤が傾くかなど、相手に聞いてみないと分からなかった。

ただ、騎士達は見ていない。夜祭で出会った人間と同じような魔術が目の前で展開されていることを。

唯一知っているアリスだからこそ、馬車から出るという選択を下した。

(馬車にいた状態だったら、馬車を狙われた瞬間に終わっちゃうもん……ッ！)

だが、正直……アリスの選択は不正解と言わざるを得ない。

何せ――

「……王女、発見。お持ち帰り問題なし」

天高く舞う爆風の中。ゆっくりと、一つの人影が姿を現す。

黒く、色あせたローブにどこか見覚えがある。

そう、それは夜祭で一人だけ異彩を放っていた姿と酷似していた。

ただ一点違うのは、深いフードを被らずに顔が露わになっていることだろう。

腰まで伸びたサラリとした赤紫色の長髪。紅蓮(ぐれん)に燃える瞳と、表情の乏(とぼ)しい美しい顔立ち。

夜祭の時のようではなく、しっかりと今のようにフードを外して街でも歩こうものなら、間違いなく誰もがふと振り返ってしまう美貌(びぼう)だ。

しかし、この場では美貌に見惚れるといったことはない。

紛(まご)うことのない脅威だと、誰もが認知する。

「……また会ったね、王女様」

「あなたは……ッ!?」

「……うーん、言ってもいいのかな？」

無表情のまま、女は首を傾げる。

そして、ゆっくりと頭を下げて小さく笑った。

「……『魔女の御家人』が一人、ルミア。よろしくお願いします」

聞いたことのない単語が飛び出し、アリスは警戒したまま内心で疑問符を浮かべる。

というより、だ。そもそも聞きたいことなど山ほどある。

「あなた達は誰？　目的は何⁉　どうして私達がここにいることが分かったの⁉」

アリス達がわざわざ人気のなさそうな山道を選んで向かっていたのには理由がある。

誰にも気づかれることなく子爵領まで辿り着く。パーティーの時みたいに襲撃される可能性があるからだ。

そのため、実際にどのルートを辿って向かうかは誰にも話していない。サク達にも、だ。

にもかかわらず、どうしてルミアと名乗る女はこの場にいるのだろうか？　まるで、待ち伏せしていたかのように。

「……いっぱい聞かないで。私、話すの苦手」

「質問に答えて！」

「……じゃあ、一つだけ」

ルミアは面倒臭そうに頬を掻く。

軽い調子で、重要なことを口にする。

「……私達は王族の血を欲する。全ては魔女を迎え入れるために。だから――一緒に来て？」

その言葉が合図となった。

アリスを守る人間二人を残し、護衛の騎士達が一斉に駆け始める。

瞬間、アリスはようやくあることに気がついた。ルミアに向かう人間が五人であることを。

周囲を一瞥すると、原型を辛うじて残している騎士の骸らしきものが転がっており、一気にアリスの胸の内に不快感が押し寄せてきた。

（クソが……ッ！）

恐らく、初めにあった二度の爆撃にやられてしまったのだろう。

なんて威力だ。確かに、不意に現れた爆撃など避けようもない。

だとしてもだ、アリスは仲間の護衛が無残に散らされたことに憤りを隠し切れなかった。

『仲間の仇！』

『アリス様には触れさせせん！』

流石は護衛騎士といったところか。闇雲に突っ込むのではなく、前衛に二人を置いて、相手のアクションに合わせて追撃する要員を後方に用意。そして、一人を背後に回らせて機を窺わせている。

これなら、どう避けようとも逃げた先に誰かがいる。確実に一撃を叩き込める。

だが――

「……甘々」

カッ、と。光った途端、アリスの手前までの一帯が一気に爆ぜた。

それは後方に控えていた護衛騎士すらも飲み込み、誰かの叫びすらも許さない爆音が胸にまで響き渡る。

「なッ⁉」

知ってはいた。知ってはいたが、驚かずにはいられない。

これほどの事象を扱いながらも、まったくのノーモーション。術式を詠唱することも、読むこともせずイメージをそのまま現象にしているかのようなタイミングで爆ぜる。

(やっぱり、サクくんと同じ魔術！)

こんなことなら、サクに対処方法を聞いておくべきだったと後悔する。

アリスは大きく舌打ちを見せると、一気にルミアとは反対方向へ駆け出した。

「アリス様⁉」

「逃げるよ！　もう戦っていられるわけないんだよ！」

頑張れば自分だってある程度戦える？　ハッ、少し前までの自分を怒りたい。

今のを見て、どう戦えというのだ。魔術の詠唱がないため、どのタイミングで爆ぜるかが分からない。本当に避けようがない。

接近して肉弾戦に持ち込むといった次元の話でないのだ。

やれるとすれば、攻撃範囲外まで逃げてさらに遠距離から攻撃していくことぐらいだろう。

ただ、ルミアの魔術がどこまでの範囲を持っているのか分からないが故に、前提として戦うのは困難。

逃げるしかない、とりあえず。己と護衛の騎士に被害が及ばない範囲まで。

もう、誰も死なせたくない。

アリスは一瞬だけ背後を振り返る。そこには、追いかける様子もなく悠々と立つルミアと、今度こそ原型を留めていない肉片となった騎士の骸だけ。

強く唇を噛み締めたことにより、薄っすらと血が滲む。

（サクくんを呼ぶ……？）

サクであれば、以前相対したことのあるルミアに勝てるかもしれない。

守られていただけであったが、傍から見てもサクの方が実力が上なような気がした。

しかし、ここでサクを呼んでもいいのだろうか？

（サクくん）

アリスは髪留めを外し、ギュッと握り込む。

砕こうとしないのは、アリスの葛藤故だろう。

アリスは、この髪留めの原理を知らない。

砕いて知らせが届くとして、駆けつけられるような魔術でも組み込まれているのだろうか？　もし、知らせだけが届いて駆けつける術が何もないのであれば、この現状を打破できることはできない。けど怖い。

そもそも——

「……逃がさない、よ？」

駆けるアリス達の横が一瞬にして爆ぜる。やはり、無詠唱。

こんなの、逃げ切れるのだろうか？　アリスは久しく味わう恐怖を体の芯から感じていた。

（サクくんを巻き込みたくないけど……ッ！）

アリスは走りながら髪留めを握り砕いた。

だからといって、そこから何かが起きるわけでもなかった。

破片が地面へと散らばり、走るアリスの後方へとただただ置き去りにされていくだけ。

あんなに嬉しかったものなのに。サクに初めてもらったものなのに。

泣き出したくなる気持ちを抑え、アリスは護衛の人間達と一緒に足を進める。

しかし、またしても眩い光が視界を包み込んだ。

「アリス様ッ！」

その瞬間、アリスの体が突き飛ばされる。護衛の人間が反射的に体当たりでもしたのだろう。

アリスの体はその場へ転がされ――アリスのいた場所が、護衛の人間諸共再び爆炎に包まれる。

「〜〜〜ッ⁉」

頬を激しく撫でる爆風に、アリスの体が固まる。

また、だ。また私を庇って一人の人間が命を散らしてしまった。

「アリス様ッ！　立ってください！」

最後に残った護衛の一人が、無理矢理アリスの体を立ち上がらせる。

「ここであなた様が死んでしまえば、死んでいった仲間が浮かばれませんッ！　もし、彼らのことを嘆いているのであれば、どうか足を動かしてください！」

「……ッ！」

護衛の騎士に背中を押され、アリスは瞳に涙を浮かべながらも足を動かし始める。

そうだ、ここで自分が死んでしまえば庇ってもらった人の想いが潰えてしまう。

それだけは絶対にダメだ。この場は王族として、己の命を最優先に考えなければ。

まず、早くこの場を離脱して――

「おやおや、随分と人数が減っているじゃないか。存外、鬼ごっこをするには力量差がありすぎたかもしれないね」

ザクッ、と。目の前の進路が一人の人影によって立ち塞がる。

赤黒い大きめのローブ。アメジスト色の瞳に不釣り合いな肩口まで切り揃えた黒髪。小柄な体軀（たいく）と、幼い顔立ち。ただ、纏（まと）う雰囲気は反比例して大人びていた。

時に、人は服装だけで相手のことをおおよそ理解してしまえるのだとか。

統一感、という言葉が当たり前のように世に根付いているからだ。職業、立場、生い立ち。

男が甲冑(かっちゅう)を纏っていれば、その男が騎士だと認識できてしまうように。

今、この瞬間。アリスと護衛の騎士は理解した——あぁ、もう一人増えてしまった、と。

「ご挨拶が遅れてしまったね。ボクは『魔女の御家人』が一人、シェアラ。よろしくお願いするよ。といっても、王女様限定になるだろうが」

「アリス様！　ここは私にお任せ」

そう騎士が言い切る瞬間。黒い何かがアリスの横を通り過ぎた。

「……ぁ」

そして、横切ったかと思えば今度は騎士の体が血飛沫(しぶき)を見せながら崩れ落ちた。

赤黒い液体がアリスの端麗な顔に付着する。

思わずアリスは濡れた頬にゆっくりと手が伸びてしまった。やっぱり赤黒い。

それが自分を守って死んでいった騎士のものだと気がついた時には——

「ふっっっっっっっっっっっざけんなァァァァァァァァァァァァァァァァァァァァァァッ!!!」

懐からナイフを取り出し、目の前の女(シェアラ)へと突貫する。

「【凍て、その先にある全てを！】」

詠唱が短い。長く続く術式を短縮できるセンスは流石王族と言ったところか。

アリスの足元から槍のような氷柱が生まれる。それはシェアラへと一直線に。

どこに逃げても構わない。

その瞬間、自分は逃げた方へとナイフを突き立てる。

魔術で迎撃するのであっても、詠唱している間に――

「安直、ではないかな？」

シェアラの背中から黒い翼が生まれる。

なんだあの形は？　どうやって出現させた？　そう疑問に思った頃には、いつの間にか横薙ぎに振るわれた翼によってアリスの魔術は壊されてしまった。

突然、直線状の視界が晴れ、シェアラと目が合う。

愕然(がくぜん)と、膝から崩れ落ちた。

（無理、だよ……こんなの）

まず、一手目が違うのだ。詠唱をしなければいけない自分と、詠唱をしなくてもいい敵。

これだけで初動が違うし、加えて己の魔術をいとも簡単に壊せるぐらいの魔術を扱える。

何より、一番アリスの心を折らせたのは……シェアラの、余裕たる表情。

対面にいる自分をまるで脅威とは思っていないような、そんな顔。

それと、後ろからゆっくり近づいてくる足音だ。

「……合流、完了」

「これを合流と言うのかい？　どう見ても、尻拭いの先にボクがいただけの構図だろうに」

アリスの心境とは裏腹に、悠々たる態度を見せる二人。そこに緊張感はなく、風に乗って鼻につく血の匂いが場違いなのではないかと錯覚してしまう。

「さて、あまり時間をかけるのもよろしくはない。さっさと王女を回収して戻ろうじゃないか」

「……これが終わったら、また適当に攫ってくればいいの？」

「君にそういうのは任せられん。この前、誰でもいいから連れてこいと言ったのに誰も連れてこられなかったじゃないか」

「……あの時は邪魔が入ったから」

「騒ぎにさせた時点で、情状酌量（じょうじょうしゃくりょう）の余地はないよ」

「……手厳しい」

やはり、前回の誘拐はこいつらだ。これで確定した。

だが、確定したからといってどうする？　この情報を、果たして自分は持ち帰れるのだろうか？

「あ、あなた達の……」

「ん？」

「あなた達の目的は何⁉　私をどうしようっていうの⁉」

アリスは叫んだ。

時間稼ぎではなく、単に分からなかったから。思わずもう一度怒鳴るように聞いてしまった。

それに対して、シェアラは小さく肩を竦めた。

「まぁ、説明する義務ぐらいは私達にはあるのかもね」

「……あるの？」

「それはそうだろう。我々は王女の意思を無視して連れて行こうとするんだ。せめて理由ぐらいは教えてあげるというのが筋というものだ」

シェアラはへたり込むアリスに近づき、目線を合わせる。

「我々はね、魔女を迎え入れたいんだ」

「魔女……？」

「そうさ、魔女だ。魔術の全てを知り尽くし、この世のあらゆる事象を支配する存在。誰もが認めるような、魔術の頂に達した者を我々は欲している」

魔女という単語を説明されても理解ができなかった。賢者と呼ばれる、今の魔術師の長のことではないのだろうか？

「魔女は必ず生まれる。それは歴史が物語っているのだよ。我々『魔女の御家人』の中かもしれないし、偶然生まれる者の中かもしれない。まぁ、そこはこの際どうでもいい——問題は、我々が魔女を迎え入れられるほどの力を持っているかどうかだ」

シェアラは一瞬にして背中から生やしている翼をさらに広げた。

改めて間近で見ていると、なんとも禍々しい姿だろうか。この世のものとは思えないほど深く、艶も質感もなさそうな漆黒。アリスは息を飲む。

「全能の魔術師を迎え入れるのだ。我々も相応の力を持たなければいけない。そこで、我々は魔術師としての格を上げなければいけないのだ。具体的には、優秀な魔術師の血を体内に取り込むことでね」

「ッ⁉」

その発言で、アリスは動機という部分を理解する。

長い歴史の中、優秀な魔術師を生み出すために優秀な魔術師同士の交配が風習のように続いていた。

最も顕著（けんちょ）なのは貴族だ。

家同士、優秀な者同士を結婚させ、さらに優秀な素質を持つ子供を産ませる。

もちろん、家督やら年齢やらしがらみやらが関わってくるため、思うように結婚はできない。

ただ、中でも王族だけは——そこには縛られない。誰であろうと、権力を使えば結婚させることができる。

故に、最も優秀な素質を持つ人間といえば——

「だから、私……ッ！」

「その通り。具体的にどう血を取り込むか、という部分については割愛させてもらおう。どうせこれから分かることだろうしね」

シェアラはにっこりと笑う。

一方で、アリスはギリッと奥歯を噛み締めた。

「血を取り込んだからって強くなれるとは限らないでしょ⁉　なのに、こんなこと――」

「ふむ、君はまだこの状況でもそんなことを言うのかい？」

シェアラの背中の翼が伸び、見せしめとでも言わんばかりに背後の木々を両断していく。

「無詠唱、既存の魔術よりも威力は申し分ない。理論の証明だけで言うなら、これだけで十分だとは思うがね」

「……ッ！」

「まぁ、本当は『世界』にまで辿り着きたいのだが……そこはこれからの血に期待するとしよう」

さてと、と。シェアラはゆっくりと腰を上げる。

「長話もここまでだ。そろそろ君を連れて行くとするか」

シェアラの手がアリスへと伸びていく。

捕まったらどうなるのだろうか？　抵抗する？　いや、したところでさらに状況が悪化する可能性がある。

逃げる機会をこれから窺うのだとしたら、まずは五体満足のままいた方がいい。

逃げられないよう足の骨でも折られたら最悪だ。

故に、今すべきことは大人しく捕まることだろう。

しかし――

（い、や……）

感情がそれを許さない。頭では分かっていたとしても。

捕まった先、自分はどうなるのだろう？　血が必要と言っていたが、恐らく子供を産ませる道具として使うわけではないはずだ。

現在進行形で己にアリスの血が必要だと言っていた。つまりは、何かしらの方法で自分の血を搾取する。

どういう方法で？　腕でも切り飛ばすのか？　指？　足？　それとも首？

いずれにせよ、想像するだけで全身に恐怖が伝わってくる。

（嫌だ）

伸びてくる手が恐ろしい。

（嫌だっ！）

今すぐここから逃げ出したい。

（嫌だっっっ!!!）

だから。

（助けてよ……）

呼んだ、彼の名前を。

「助けてよ、サクくん!!!」

その時だった。

「ん？」

シェアラが手を止め、ふと下を向いた。

そこには草や土によって汚れている地面などなく、自分の姿がくっきりと浮かび上がる鏡が広がっていた。

何故、足場が急に変わった？　そう疑問に思った瞬間、唐突に一本の腕がシェアラの胸倉目掛けて伸びる。

そして——

「てめぇら、誰の許可をもらって大事な人（アリス）に手を出してんだ、あァ？」

ゆっくりと。そう、ゆっくりと。

鏡の中からアリスの前に立ち塞がるかのように、一つの人影が現れる。

そこから現れたのは、アリスが心の底から焦がれていた相手で。

「サクくんっ！」

かつて英雄とまで呼ばれた、鏡の『世界』を有する少年であった。

サクの魔術は別に瞬間移動ができるものではない。

視界内、及び登録した座標に空間を作り出し、ショートカットするというものであるだけ。

そのため、アリスから送られた知らせを受けたからといってすぐに駆け付けられるわけではないのだ。

最も離れた視界に座標を設定、空間に己を落として地上へ顔を出す。再び座標を設定して——という過程を繰り返さなければならない。

だから遅くなってしまった。鼻につく、嗅ぎ慣れた血生臭い匂いを嗅いで罪悪感が胸に染みる。

「一体、どういう原理かね……ッ！」

胸倉を掴まれたシェアラが咄嗟に腕を振り払って距離を取る。

先程まであれほど悠々としていたのに、今では警戒心が見て取れた。それは恐らく、己の知らない魔術が現れたからだろう。

だが、サクはシェアラの様子を全く気にしていなかった。

振り返ることもなく、まず先に蹲るアリスの顔を覗き込んだ。

「……ごめん、遅くなった」

どうして謝るのか？　そんなの、聞き返さなくても理解できる。

爆ぜたことによって起こった惨状は周囲を見れば一目瞭然であり、不快な漂う血の匂いはこの場にいない者であることはおおよそ予想がつく。

だから、サクは謝罪したのだろう。

もう少し来るのが早ければ、護衛の騎士達は死ぬことはなかったのかもしれない。

しかし、それを言い出せばもっと早くアリスが髪留めを砕いていれば……という言葉が続いてしまう。

故に、アリスは言及も叱責もしない。

逆に、瞳いっぱいに安堵の涙を流した。

「ありっ、がと……！」

「あとは任せろ」

アリスの頭を撫で、サクはゆっくり立ち上がる。

そして、目の前の少女を立ち上がらせてそのまま安心させるよう抱き寄せた。

「……シェアラ、この人。私が失敗した時にいた人」

「なるほど、となれば一筋縄ではいかないかもしれないな」

サクは二人のやり取りを気にしない。振り返ることもしない。

その代わり、真横へ握り締めた拳を振るった。

いつの間にか現れた、立て鏡に似たステンドグラスを叩き割るような形で。

「「ッッッ！！？？？」」

警戒していたはずのシェアラとルミアの目が見開かれる。

理由としては、突如己の体に浮遊感が押し寄せてきたからだろう。

固い土の感触は消え去り、景色ごと足場が失われる。視界は何故か色鮮やかなステンドグラスに覆われ、眩しさが視覚を徐々に支配していく。

（これは……ッ⁉）

下を向いても、同じようなステンドグラス。

着地は問題ないだろう。ただ、こんな山の中にこんな空洞があった……という事実に驚かずにはいられない。

いや、これは――

「仕切り直しだ」

ルミア、シェアラ、サクがほぼ同時に着地する。

そして、突如現れた青年はアリスを抱きかかえながら拳を握った。

「纏めてかかってこい。クソ野郎共に俺の『世界』を見せてやる」

第六章　元英雄VS魔女の御家人

ルミアは考えるのが苦手なタイプだ。

今まで大体のことは他人に任せてきたし、己に与えられた仕事を適当にこなしていくだけの生き方をしてきた。

そこに魔術師としての技術向上が目的としてあって、己のセンスに全ての事柄を委ねてきた。

サクが作り出したこの場所のことはルミアは理解していない。

錯覚が始まってしまいそうなほどの綺麗なステンドグラスの空間。登って上がれるほどの高さではない。そもそも、落ちてきたはずの穴が塞がれている。

どうして？　何故？　なんて疑問は抱かない。

本能で判断し、己は即座に行動するだけ。

逃げられないのなら、この男と戦うしかないと。

「アリス、お前は離れてろ」

「う、うん……気をつけてね」

王女がサクの下から離れていく。

その瞬間、ルミアはサクに向けて駆け始めた。

ルミアとて、王女をこの段階で傷つけるわけにはいかず、離れてくれるのであれば好都合であった。

前回は勝ち目がないと本能で理解したが、今回はシェアラを含めて二人がかりだ。勝率は低いかもしれないが、少なからずちゃんとある。あとは全力で戦えばいいだけ。

「ん？」

サクがアリスから視線を離した頃には、ルミアが懐へ潜り込んでいた。

行動は単純明快。拳を握って、叩き込むだけ。

ルミアの魔術は、視界及び己の起点からの爆発オンリーだ。

炎の魔術を改良し、威力を底上げしただけの固有魔術（オリジナル）には及ばない魔術。

その威力は今まで見てきたものと全てが同等。シンプルかつ強力であり、詠唱は必要とせず、事前準備もしなくてもいい。

懐に叩き込んだ拳が起点となってサクの腹部が激しく爆ぜる。

だが——

「甘めぇよ、トーシロが」

「がッ⁉」

頭部に重たい一撃が加わる。

それがサクの蹴りだと理解するのに、少しの時間を要した。

爆ぜたサクの体は粉々になって辺りへ散らばり、代わりに頭上へ新しい体が現れる。

一方で——

「ははっ！　素晴らしい！　よもや、それは『世界』ではないのかな⁉」

傍観していたシェアラが嬉々として吠える。

「空間ごと支配してしまえるほどの効果範囲、更には事象の幅の広さ！　何より、ボクが知り得ない魔術！　もう、これはボク達が届かなかった固有魔術(オリジナル)に他ならない！」

「あ？　なんでお前らが『世界』を知っている？」

「無論、語り継がれてきたからさ——我々『魔女の御家人』が！　魔術師の頂を目指すために！」

シェアラの言葉に、サクは舌打ちする。

その様子は、何かを理解したようであった。

「……残ってやがったのか。アリスを狙う理由には合点がいったよ」

ルミアはシェアラの言葉に反応している隙を見て距離を取る。

まだ、先程食らってしまった一撃の余韻が頭に残っており、足元が一瞬だけ覚束なくなった。

「予定変更だ、ルミア」

「……え？」

「この際、王女なんてどうでもいい。あの魔術師の血の方が素体としてよさそうだ！」

シェアラが嬉々とした表情で背中の翼を伸ばした。

一直線に、目にも止まらぬスピードでサクへと迫る……が、サクは身を捻ることで回避してみせる。

「頭の狂った連中の思考回路はいつだって理解ができねぇ」

ただ、と。

サクは両手を広げる。

「やるべきことは変わらん。今度こそ、俺は守りたいやつを守る」

ステンドグラスのような地面が隆起し始める。

それは徐々に大きく、形作られ、サクの背後へと人の形をした者達が現れた。

数は数十、百程だろうか？　どれも姿形が違い、それぞれ多種多様な武器を手にしている。

「【造形者達の遊び場（ワンダーランド）】」

シェアラとルミアは一気に警戒心を上げる。

今更、あれらが土の魔術によって作られた人形（ゴーレム）同等のものだとは思わない。

何かがあるだろうし、一筋縄ではいかないのだろうということも理解している。

それは、今まで己の目的のためだけに戦闘を繰り返してきた悪党の勘故だろう。

「さぁ、始めるぞ。護衛の人間に愛着も情もないが……弔（とむら）い合戦だ」

サクの言葉を皮切りに、本人も含め一斉に二人へと駆け始めた。

ルミアはサク諸共足元を爆破させ、シェアラは遠距離から翼を伸ばして横薙ぎに人形を壊そうと試みる。

もちろん、サクの魔術はあくまで物体を生成しているだけであり、強度はそこそここのものしかない。

爆撃に加え、甲冑越しに人間を両断できる翼の威力には耐え切れないだろう。

故に、サクを含めた人形は試みた通りに砕けていった。

しかし、ここで終わらないのがサクの鏡（まじゅつ）。

壊れた瞬間、新たに同じ形をした人形が何もなかったかのように姿を現した。

（クソ……流石は『世界』といったところか。そこいらの魔術よりも生成スピードが桁違いだ……ッ！）

シェアラは何度も翼を振るっていく。

壊れるのは壊れるが、壊した分だけ現れるため、一向に減る気配がない。

着々と、シェアラ達との距離を縮めていく。

（さて、ここからどうするか？　あの男を殺すことは、恐らくこの空間内では難しいだろう）

外傷はすぐに元通りになってしまう。

となれば、いくら傷つけようとも無意味に他ならない。

（くくっ、素晴らしい……早くボクもその領域へ辿り着きたいものだ！）

しかし、シェアラの表情に苦悶はない。

ただただ、興奮によって湧く笑顔しか張り付いていなかった。

「……ねぇ、どうやって倒すの？」

手当り次第腕を振るって爆発させていくルミアが、横にいるシェアラに尋ねる。

「……いつの間にかあの子もいなくなってるし、見つけたとしても傷なんかつけられないし」

「確かに、殺すのは彼が作っているこの空間内では不可能だろうね。けど、倒すだけならやりようはあるってものさ」

元より生け捕りが目的だしね、と。シェアラは翼をはためかせる。

「火、なんていうのはどうだい？」

「……なるほど」

シェアラの発言を理解したのか、ルミアは顎に手を当てて頷いた。

そして一蹴りで壁際まで退くと、手のひらを人形へと向ける。

「【絨毯爆撃】」

一度、二度、三度。それを皮切りに、一つに重なってしまうほど間を詰めた衝撃音が連続して耳に響き始める。

神秘的に覆われた空間は一瞬にして赤黒く染まり、心なしか空間そのものが揺れているようにも感じた。

(……こんだけやっても出てこない、か)

一度目に爆破した時以降、サクの姿は見えていない。

まぁ、これだけ赤黒い爆風が舞っていれば視認できないのも無理はない。ただ見つけられていないという可能性もある。

そんなことよりも、目的は——

「炙り蒸す。それ以外にはないだろう」

舞い上がる爆風を、シェアラは翼から与える風によって押さえ付ける。もちろん、ルミアに爆風が届かないよう調整しながら、だ。

ルミアが起こす爆発は、何も衝撃波だけではない。

元が火の魔術だったことからも分かる通り、ルミアの魔術は爆ぜた場所は酸素が過剰に集まって小さな火種が引火して激しくなっている。

そのため、一度の爆発だけでも周囲一帯には大きな熱を残していた。赤黒い爆風にも同様に。

(……ステンドグラス。ううん、この際鏡でも何でもいいけど、硝子で作られているものは熱に弱い。いくら際限なく出せるのだと仮定しても、土台が崩れれば生み

出せないはず）

ルミアとシェアラが行っていることは至って単純。

際限なく熱を浴びせるために魔術を行使し、シェアラが熱を逃がさないよう風で一帯を覆う。

そうすることによって、ステンドグラスによって作られたこの空間は熱で溶け、新たに形作ることができなくなる。もし仮に生み出せたとしても、冷ます過程がないためにまともな原型にはならないだろう。

その証拠に、与え続けている場所の足元はドロドロと溶け始めており、液体に似た何かが浮かび始めている。

そして、これはサクが生み出した人形にだけ当て嵌まったことではない。

サク本人も、自身の体を形作るのに魔術を使用している。サク本人に影響がなかったとしても、次回与えた傷には影響があるだろう。

（……うん、やっぱり考えるのはシェアラに任せるのが一番）

ルミアは感心しながらも魔術を撃ち込み続ける。

いずれ現れるサクの姿を、どこか勝利を確信したような気分で——

「だから甘めぇって言っただろうが」

ゴンッッッ!!!　と。ルミアの背中に重たい一撃が叩き込まれた。

「ッ⁉」

振り返れば壁から生えるように足を踏み込み、拳を振り下ろすサクの姿があった。

どうして後ろにいるの？　すぐそこは壁だったはずなのに——そう疑問に思ったが、すぐさま己の馬鹿さ加減に後悔した。

よく考えれば、この空間全てがステンドグラスのようなもので覆われている。

別に地面限定で生み出されていると明言されたわけではない。ステンドグラスがある場所であれば、どこにだって生成できるポイントがあるのだと判断するのが妥当なはず。

「ルミア⁉」

予想外の一撃を受けたことにより、ルミアの【絨毯爆撃】が中断される。

だから気がついたのだろう。上空にいたシェアラが声を上げた。

「『世界』を作った時点で、あらゆる可能性は考慮してんだよ。何せ、攻略されてしまえば俺はお終い——これ以上の魔術なんて持ってないんだから。そのための対策ぐらい、普通は仕込んでおくもんだろ」

サクは体を出し、そのままルミアを追撃する。

シンプルに拳を叩き込む。女だろうとも関係なしに、胴体や顔面へと流れるような動作で。

息をつく暇が与えられないが故に、ルミアは魔術を行使することができなかった。

定めなければいけない起点が、揺れる視界によって遮られる。

（……なん、で。こんなに近接戦闘に慣れてるの⁉）

魔術師と名乗る人間は一般的に己の拳を汚さないものだ。

どの魔術も、基本的には中距離から遠距離で使用するヒットアンドアウェイスタイルのものが多い。

そのため、大半の魔術師は近接戦闘に慣れていない。そもそも、武術や剣術を磨くくらいなら詠唱短縮や多くの魔術を読めるよう時間を割く方が効率がいいのだ。

アリスのような剣術と魔術を掛け合わせた戦闘スタイルの人間ももちろんいる。

だが、サクのそれは戦闘スタイルがどうとかという次元ではない。

武術家です、と。名乗っても疑問には思わない。それに、こんなに強力な魔術を使えるのであれば近接戦闘を身につけなくてもいいはずだ。

なのに、サクの動きは洗練されている。

ルミアには一生分からないだろう——多くの人間を助けるために、必然的に身に着けざるを得なかったことを。

身に着けたが故に多くの魔術師との戦闘を乗り越え、魔術を含めて「最強」だと呼ばれたことを。

もちろん、そんなサク相手にルミアがどうこうできるわけもない。

抵抗できぬまま、ただただサンドバックのように拳を叩き込まれる。

「ルミア……ッ⁉」

シェアラがサクに向かって翼を伸ばす。

しかし、寸前で翼へといくつかの風穴が空いた。何事かと視線を向ければ、人形が自分に向かって槍を投擲(とうてき)しているのが映る。

マズいと、シェアラが更に距離を取ろうと飛翔するが、急に天井の一面全てが退路を塞ぐかのように勢いよく落ちてきた。

「なんでもアリか！」

地の利を失わないよう天井の破壊を試みる。とはいえ、そんなことをしている間に人形からの投擲が自身へと向かうため、一撃を加えた時点でシェアラは諦めると大人しく地面へと着地する。

サクと同じ高さに立っていれば、天井が襲ってくることはない。

だが、サクと同じ土俵に立ったことにより――今度はサク自身が脅威として襲いくる。

「驚くことじゃねぇだろ多様性こそが『世界』のメリットなんだからな！」

シェアラの眼前にサクの姿が映り込み、咄嗟に翼を向けてガードをする。

そこまではよかったが、ガードをしたのはあくまでサクに向けてのものであった。

己の足元。翼を丸めたことによって綺麗に空いた空間から、一本の柱が顎目掛けて突き刺さる。

「がッ⁉」

シェアラの体が大きく仰け反った瞬間、ようやく息を整えられたルミアが合流し、サクの背後から蹴りを放つ。

サクは背後を一瞥すると、背中から翼を生やして蹴りを防いだ。

その翼は色こそ違えど、どこかシェアラが使うものと酷似していた。

「そ、それはボクの⁉」

「おいおい、俺の『世界』は鏡だぞ？　今でこそ着色して見せているが、本来の解釈はこっちだ」

サクの魔術は生成や空間の構築だけではない。

『世界』を作り出したことでの多様性――そこには、自身と相対した人間の『模倣（トレース）』も含まれている。

「【鏡映し（インプット）】」

サクが作り出した鏡の空間で発揮させる多様性を侮ってはいけない。

自身の魔術、及びサク本来の魔術、サクの戦闘スキルを乗り越えないと勝機は見出せない。

「……これだけの」

フラフラと、シェアラが立ち上がる。

「これだけの力があるのであれば、我々のところに来ないかい⁉　素晴らしい……その力があれば、きっと魔女も歓迎してくれるはずだ！」

勧誘とは裏腹に、シェアラはサクへと翼を振るっていく。

サクはシェアラの動きと寸分違わず作り出した色鮮やかな翼で弾き落としていく。

そして、その間に距離を詰めてきたルミアへ再び拳を叩き込んだ。

「ハッ、笑わせんな」

ルミアの魔術をその身で受けながら、サクは笑う。

「俺はもう後悔だけはしたくねぇ」

圧倒的優位。決着がつくのも、時間の問題だという状況で。

「二度と、俺は大事な人（アリス）を失わないって決めたんだ！　そろそろ終わらせるからその気でいろや悪党共（エゴイスト）！」

アリスは蚊帳の外であった。

いや、蚊帳の外にさせられたというべきか。

サクから「離れていろ」と言われ、壁際まで寄った瞬間に無色透明の硝子のケースに覆われてしまったのだ。

叩いてもヒビが入る気配はなかった。その時点で、傍観者に徹していろと加えて言われているような気分であった。

初めは一生懸命壊そうとした。何度も魔術を詠唱した。サクは己を守ってくれるためにしてくれたのだろうが、相手は二人。夜祭の時は優勢を見せていたが、今回は新手がもう一人増えている。

いくらサクでも、無詠唱の使い手が二人も現れれば苦しい戦いになるはず。

少しでも加勢して、サクの助けになるんだ。そう息巻いていた。

息巻いていた、はずなのに——

「……すっご」

口から零れた言葉は、そんな言葉。

目の前で起こっている圧巻の光景に対してのもの。

数多（あまた）の目で追いきれないような爆発でさえも、鋭利な翼の攻撃をものともしない。

ルミアに拳を叩き込み、追撃に回っているシェアラの攻撃すらも同じ翼で撃ち落としている。

シェアラに至っては最悪だ。サク自身からの攻撃を受けていないからといって、気を抜けば作り出された人形の攻撃が己へと迫っている。

人形を壊そうと翼の向きを変えれば、サクの翼が牙を向く。

正に八方塞がり。徐々にサクによって耳へ彼女の悲鳴が届いてくる。

自分達が手も足も出なかった相手に対して、圧倒的有利。しかも、たった一人でだ。

サクの実力については知っていたことだが、まさかこれほどだとは思わなかった。

いつの間にか、ここから抜けだして加勢に行こう。なんて考えてすらもいない。

加えて——

『二度と、俺は大事な人(アリス)を失わないって決めたんだ！　そろそろ終わらせるからその気でいろや悪党共(エゴイスト)！』

ドクン、と。あの言葉を聞いただけで胸が跳ね上がる。

聞こえてきた言葉に嘘がないことぐらい、サクの顔を見れば分かる。

圧倒的優位の立場にいるにもかかわらず必死で、脅威を排除せんと自分を守ってくれている。

(……サクくん)

ドクン、と。またしてもアリスの胸が高鳴る。

それはもう一度サクの言葉を思い出したからではない。

自分の前に出て、拳を握り締める背中。

その姿が——まるで英雄のように見えたから。

◆◆◆

サクが転生してから八年。ここまで自分の魔術を行使した瞬間はなかった。

ミーシャや、こんな自分を見捨てないでくれた両親が危険な目に遭ってこなかったというのはもちろんある。

サクはよっぽどのことがない限り、自身の力をひけらかすことも見せることもしない。

平穏で、自由で、幸せな日々を送ると……あの時救えなかった幼なじみ(アリス)に誓ったのだ。

そして今度こそ、大事な人を失わないために。

己の知らない有象無象(うぞうむぞう)など関係ない。

夜祭の時は確かに嬉しかった。あぁ、認めよう。あの女の子を助けられた時は、懐かしい多幸感に満ち溢れていた。

だが、目的を履き違えるな。

久しぶりに抱いた多幸感よりも——大事な人を失った時の不幸の方が勝っている

のだから。

「くっそ、邪魔(じゃま)いッ！」

背後からそんな舌打ちが聞こえてくる。

恐らくシェアラのものだろう。サクが模倣(トレース)した翼でシェアラの翼を迎撃し、残った人形を使って囲んでいるのだからイラついても仕方がない。

実際問題、シェアラは攻めきれず、両側から襲いかかられている現状は誰であろうと腹立たしいことこの上ないはず。

それと、自分の置かれている現状を正確に把握しているからこその焦燥も含まれているのかもしれない。

今は辛うじて捌けてこそいるものの、どちらか一方でも怠ってしまえば攻め切られる。

（ボクは魔女に出会う……！）

翼だけでなく、体をも使いながら人形の槍を躱す。

（魔女を生かすための力を！　魔女に出会ったことでの恩恵を手にするために！）

埒(らち)が明かない。シェアラは大きく一つ深呼吸をすると、一気に地を駆けた。

翼は最小限に開き、全ての攻撃を最小限に抑える。

槍が肩をかすめようとも、サクの翼が腹を抉ろうとも関係ない。

いずれ押し切られる状況を打破するには、何かしらのアクションを起こさないといけない――せめて、一方的に殴られているルミアとサクを引き剝がしさえすれば、また態勢を立て直せる。そう信じて。

決心がプラスに動いたのか、サクとシェアラの距離はどんどん縮まっていった。

おかげで至る箇所から血が滲んでいるが、この際仕方ないと割り切る他ない。

そして、縮まった距離はサクの背後へと迫り――

（いける……ッ！）

――目の前が一瞬、眩く光った。

「……ぁ？」

これはルミアの……そう思った瞬間には、もう視界全てが爆ぜてしまった。

シェアラの意識が、この時点で刈り取られる。

「考えが安直だって何度言えば分かるんだ」

サクは振り返ることなく口にする。

「お前の魔術を模倣できる時点で、こいつの魔術も同様だって考えはしなかったのかね？」

これであと一人。背後から立っている気配を感じられないことから、遂に相対すべき相手は一人となった。

だから全力で叩き込め。

(アリスの脅威を退けるために)

相手が女だろうと関係はない。最悪殺してしまっても構わない。

倒れて、もう二度と立つ気も起きないぐらい相手の体に刻み込む。

何度も、何度も。ルミアの体に拳や蹴りを与えていく。

時間にして数分ぐらいだろうか？　それでも立っているルミアは称賛に値するかもしれない。

立っていられるのは根性か、はたまた倒れられない理由があるからか。

顎に一撃を加えた時、ルミアの動きが変わった。

具体的には、ただ殴られるだけではなく……全身で捕らえるかのように、サクの腕を抱えた。

「……ようやく捕まえた」

サクの腕が爆ぜる。跡形もなく消えていく片腕に、サクはなんの反応も見せない。

代わりにもう一度ルミアの顔面へと拳を叩き込み——またしても腕が掴まれた。

二度目。サクの両腕が黒い煙を立ち昇らせながら肩からごっそりと消えてしまう。

「…………」

だが、それだけだ。

両腕がなくなろうとも、サクは秒で腕を元通りにしてみせられる。

こんなの、大した影響はない。

「……腕、戻さないの？」

フラフラと、覚束ない足のままルミアはサクを見据える。

何度叩き込んでも倒れる様子がないルミアを見て、サクは疑問を口にした。

「どうして、お前らはそんなに魔女にこだわる？」

長く感じられた戦闘の最中、ようやくサクの動きが止まる。

「……理由？」

「別に強さを求めたってなんの意味もねぇだろ。当たり前に暮らしていても、正攻法で鍛えられた力だけでも、大事な人ぐらいは守れるはずだ」

非人道的な行いをしてまで力を求める理由。

一度、同じ集団と相対したことのあるサクは大体の事情は知っていた。

必ず生まれると信じている魔女は、なんでもできるが故になんでも願いを叶えてくれる。

そのためには対価が必要であり、魔女を守るための力を身につけなければならない。

そこまでは分かった。

ただ、どうして魔女に縋らないといけないのか？　それはか弱い女の子の尊厳や命を踏みにじってでも叶えなければならないものなのか？

恐らく、これは興味であると同時にサクの中で何かしら希望を持とうとしているのだろう。

同情できる余地が、もしかしたらどこかにあるかもしれないと、優しさから出た希望を。

だが――

「……別に」

その希望は、呆気なく砕かれる。

「……一生何もしなくてもいいお金がほしいから、だよ？」

「……あぁ」

たかが金のため、か。

サクは大きく息を吸い、一瞬で失った腕を元に戻す。

「よく分かったよ……てめぇらに同情の余地はねぇってことが。そんなクソしょうもない理由でアリスを傷つけたんだ、落とし前はつけさせてもらうぞ」

「……しょうもなくないし」

サクとルミアは拳を握る。

なんの合図もなし。にもかかわらず、両者は一斉に地を駆けた。

まず、サクとルミアの間に一つ爆発が起きる。どっちが魔術を行使したのか？この際はどうでもいいだろう。

ルミアは煙が晴れた途端、眼前に迫ったサクの顔面へと手を伸ばした。

（……いける）

体は再生できるかもしれないが、もしかしたら一撃で息の根を止めれば死ぬ可能性がある。

そんな確証もない考えの下に、ギラついた瞳がサクへと向けられる。

しかし、ここで――

「……えっ？」

ルミアの視界に、ふと違和感が入り込んだ。

煙が晴れた。そこから現れたサクの両手に大槌が握られていた。

なんで？　ルミアの頭が一瞬にして真っ白になる。

「沈め、阿呆が」

視界が遮られた隙にサクは大槌を生み出したのだろう。

おかげで、ルミアはサクが素手だという認識のまま、距離を離してからの爆発ではなくリーチの短い両腕での戦闘を選んだ。

その結果が悪手だったというのは、振り抜かれようとせん大槌を見て自ずと理解させられた。

だから最後に――

「……ばーか」

ただの悪態を残す。せめてもの抵抗と言わんばかりに。

大槌がこめかみへとめり込み、ルミアの体が空間の端へと吹き飛ばされていった。

「誰が馬鹿だ」

サクは大槌を肩に担いで、吹き飛んだまま起き上がらないルミアを一瞥する。

「確証もない狂信に動かされるてめぇらの方が馬鹿だろうが」

その言葉に返答はない。

さてと、と。動かなくなったことを確認したサクはゆったりとした足取りで前に進む。

名残惜しさも、敵の生死も今はどうでもいい。

先には、一つだけ無色透明の小さなドーム。

鏡のようにできているため、近づいても己の姿しか映らなかった。

サクは小さく指を鳴らす。

すると、ドーム状のケースは溶けるように消え——

「待たせたな、アリス」

——一人の少女が、その姿を現した。

守りたいと願い、拳を握ったからこその結果。

サクは心に確かな実感を得ながら、大事な人（アリス）に向かって笑みを向けた。

かつて根絶やしにしたはずの集団。

その人間二人を相手にして、サクは無傷のまま戦闘が終わる。

そしてこの瞬間——一人の女の子を巡る戦いは、サクの勝利で幕を下ろしたのであった。

エピローグ

『魔女の御家人』との戦いから、早くも一ヶ月の月日が経った。

アリスは護衛の騎士を失いこそしたものの、無事に公務を終えて元いた王城へと戻り、平和な日常が続いていたそうな。

もちろん、アリスの命が狙われたことに関しては大騒ぎになった。

一度だけでなく二度も命を狙われ、護衛の騎士全員を失うほどの事件であったのだから当然だ。

しかし、同時にもう一つ話題になったことがあった——その事件でアリスを守ったのは、公爵家のごく潰しだという話である。

命を狙われ、護衛を失った時点で理由を話さないわけにはいけない。

夜祭の時はまだ被害がなかったために周囲だけで話は止まったものの、大きな被害が出た時点で公に広まるのは仕方のないこと。

それはサクも諦めており、諦めたからこそアリスの公務について行くことができた。

公務が無事に終えられたのも、サクの力があったのもあるだろう。

そして、現在――

「……はぁ、疲れた。誰か癒しをちょうだい。具体的には一ヶ月の睡眠生活と膝枕」

広く静かな王城のテラスにて。

サクは大きなため息を吐きながらテーブルへと突っ伏していた。

「サクくん、サクくん。二週間ぶりに会えたアリスちゃんを放置してため息を吐くとは何事ですか。アリスちゃんは悲しいですよ、おーい」

突っ伏すサクの頭を、アリスはペシペシと叩く。

そんな様子に、周囲からの反応は何もなかった。というのも、今現在この場にはサクとアリス以外の人間は誰もいないからだ。

「いや、さ。俺も納得はしてんだけど……ここ最近の俺を見てみろよ。自堕落ライフからは縁遠い生活を送らされているわけじゃん」

「そうだねぇ……褒賞ももらって、魔術師協会からも注目されて、色んなパーティーに参加させられてで慌ただしかったもんねぇ」

「分かる？　この急な手のひら返しに付き合わされる俺の気持ち？　毎日涙で枕を濡らしてんのよ、無駄な時間浪費のせいで」

この一ヶ月、大きな変化があったのはサクだ。

公務を終えてすぐに国王から褒賞を与えられ、魔術師協会からは本格的に勧誘、及び情報の開示を求められる。サクがどれだけ断っても、折れることなく何度も。

更には、大々的に褒賞が与えられたものだから周囲の貴族はサクを我がものにしようと大々的に動き出してしまった。

護衛の人間をいとも簡単に倒してしまえる人間二人を相手にしても無傷で生き残れる実力。

自分の家門を強化したい貴族の人間的に、サクは掘り出し物の素体。是非自分の家に迎え入れたいと思うのが当然の反応だ。

ごく潰しなんて悪評など関係ない。ただ、少し問題だったのがサクの家である。公爵家に勝る爵位など少なく、自分の家に引き込むことが難しい。そのため、大体が嫁がせるよう仕向けていた。

おかげで、ほぼ毎日貴族の娘セットでお客さんが来る事態が続いた。

パーティーにも参加させられ、そこで嬉しくもない絵に描いたハーレムを味わったことが未だ記憶に新しい。

「まぁまぁ、公爵様も喜んでたんでしょ？　鼻が高いってさ」

「……その代わり、これからはもっとちゃんとしろって怒られたけどな。今思ったけど、功労者に対する扱いじゃなくね？」

「あははははっ！　サクくんは日頃がアレだったからねぇー！」

アリスが楽しそうに笑う。

茶会だというのにそこに上品さなどなく、友人と談笑しているような楽しさが窺えた。

ただ少し談笑にしては違和感が残る。それは対面にいるサクが酷く疲弊しているのと——その男を見るアリスの目が、どこか熱っぽいところだろう。

「おいおい、お嬢さん。どこぞの誰かのせいだって気づいてくれませんかねぇ？」

「いひゃいいひゃい、ごめんなひゃい」

やっぱりもちもちだな、と。涙目のアリスの頬を引っ張ったサクは思った。

「いつつ……だって、理由を言わないわけにはいかないし。今時『覆面ヒーローが名前も名乗らずに助けてくれました』なんて言わないし」

「まぁ、今のご時世は正義のヒーローでもお給料と称賛を欲しがるだろうしな」

正義のヒーローも現金なものである。

「でもさ、サクくん」

「あ？」

「サクくんのおかげで、私は日常に戻れたんだよ？」

熱っぽい瞳が真っ直ぐに向けられる。

あの襲撃があってから、アリスは今日に至るまで一度も命を狙われることはなかった。

あの二人が王国の中の牢獄に投獄されていることを知った他の『魔女の御家人』が「第一王女に手を出すことは不可能」だと判断したからかもしれない。

現在色々と尋問中であるらしいのだが、他の人間が何を考えているかは分からない。

どちらにせよ、サクが『魔女の御家人』であるルミアとシェアラを倒したからこそ、アリスの命はあるし、平和な日常が送れているのだ。

「……改めてありがとうね、サクくん」

アリスは机の上に投げられたサクの手をそっと握る。

「あの時、サクくんが来てくれなかったら私はどうなっていたか分からなかった。ほんと、サクくんのおかげ」

「……もう何回も聞いたんだが」

「何回でも言わせてよ。私の今があるのは、サクくんのおかげなんだから」

手を握られたことにより、サクに温かい感触が伝わってくる。

気恥ずかしくなったのか、サクは上体を起こしてそっとアリスから視線を逸らした。

「け、結局護衛の騎士達は助けられなかったし」

「それでも、私は生きてる」

結果的に護衛の人間は助けられなかった。

しかし、代わりに助かった命が目の前にある。しかも、その命はサクの願っていたなんとしてでも守り抜きたい相手のもの。

「ねぇ、サクくんはどうして私を助けてくれたの？」

サクの手を握りながら、アリスは尋ねる。

するとーー

「……そんなの、お前が俺にとって大事な人だったからだろ」

信念を曲げたつもりはない。

転生してからこれまで……いいや、これからもサクは赤の他人のために極力拳は握らないだろう。

英雄とまで呼ばれた男とはとても思えない信念だろうが、サクはもう大事な人を失いたくないのだ。

アリスはサクの手を差し伸べる人間に選ばれたというだけ。

身勝手で、奔放で、無邪気で、初めは偶然出会っただけの人間で、正直迷惑な存在だった。

しかし、一緒に暮らしていくにつれて……正義感が強く、明るく、優しくて、幼なじみに似ているアリスに、徐々に惹かれていったのだ。

そう自覚してしまったら、もう手を差し伸べないわけにはいかない。

きっと、アリスを失ったら英雄であった頃と同じように後悔するだろうから。

「そ、そっか……」

直球（ストレート）に言われた言葉を受けて、アリスの顔がほんのりと赤くなる。

「……何照れてんだよ」

「だ、だって……サクくんが嬉しいこと言うから」

「待て、お前が恥ずかしがると俺まで恥ずかしくなる」

「…………ぁ」

「…………おい」

結局、恥ずかしさが伝播してしまったことにより、二人の空間に気まずい沈黙が広がった。

互いに顔を赤くし、少しだけ視線を逸らす姿はどこか初々しいカップルのように見える。

「や、やめようぜ！　せっかく色々と解放されてアリスと会ってんだ。こんな気まずい空気のまま時間経過は普通に嫌だ！」

「そ、そうだね！　私もサクくんといっぱいお話ししたいことあったし！」

沈黙を誤魔化すように、二人はわざわざ声を大きくする。

この声がもし周囲に聞こえていたらどんな反応をされていただろうか？　サクは想像しただけで「誤解されそう」だと苦笑いを浮かべた。

「んで、初めてアリスから茶会に誘われたんだ。なんか面白い話でも持ってんだろ？」

「サクくん、茶会はそんな場所じゃないよ……」

「え、女の子のお茶会って暴露大会を上品に包んだだけじゃないの？」

「ドロドロする時もあるけど、完全にあらぬ方向の偏見だね」

つまんねぇの、と。サクは椅子の背もたれにもたれ掛かる。

その時、ふとサクが首を傾げた。

「(早いうちにやった方がいいのかな？　な、なんか今そういう雰囲気残ってるし。きょ、今日するって決めたもんね……次いつ会えるか分からないし……！)」

唐突にアリスがボソボソと呟き始めたのだ。

何故か拳を握って気合いを入れているようにも見える。

「どうかしたか？」

「う、ううんっ！　全然！　ただ、面白い話ならあるなーって思っただけ！」

「おっ！　やっぱりあるんじゃねぇか！」

サクはアリスの様子など忘れたかのように、思い切り食いつく。

その反応を見たアリスは大きく深呼吸をすると、サクに向かって手招きをした。

顔を寄せるとは、何か周囲に聞かれたくないようなシークレットな話題なのだろうか？　サクは更に好奇心を駆り立てられ、アリスに耳を近づける。

そして――

「サクくん、大好きだよ」

みずみずしくも柔らかい何かが、サクの頬へと触れた。

「はぁっ⁉」

その感触が何か……などと、初心で鈍感な疑問は抱かない。

ただただ疑問で、思わず頬を押さえて距離を取ってしまう。

一方で、してやったアリスは頬をこれでもかと紅潮させながら何故か開き直っていた。

「こ、これが面白い話ですよ、えぇ！　驚いたかなサクくん⁉」

「いや、おまっ……！」

公爵領を出る際に言われた言葉とは違う。

本気で言っているのだと分かるほどの行為と表情。

だからこそ、サクは戸惑いを隠しきれない。

「そりゃ、惚れちゃうよね！　こんなことがあったり、君が優しかったり、あんなこと言ったらさ！　この可愛くて王女な私でも惚れちゃうと思うんだよ！　うん、これは事故ね異論は認めませんっ！」

堂々と誤魔化そうとしていることを隠しもしない開き直り。

胸を張り、可愛らしい顔を明後日(あさって)の方向へ向けているアリスはなんとも愛らしかった。

だからからか、戸惑いと驚きに包まれていたサクは毒気を抜かれてしまい、急に吹き出した。

「ぷはっ、なんじゃその告白」

「う、うるさいなぁ！　私、本気の告白なんて初めてなんだもんっ！」

それはそうだ。一国の王女が告白など歴史を遡ってもあまり行われてきていないものだ。

何もせずとも男が言い寄り、基本的には政略結婚がまとわりつく。

だが、アリスはサクという男と出会ってしまい、政略結婚の前に惚れてしまった。

ならば仕方ないだろう。

仕方ないのだが――

『私は、サクくんのこと……好き、だよ……』

ふと、サクの脳裏に似たような言葉が過ぎった。

冷たくなっていく体に、弱々しい笑み、震える言葉。

今はあの時とまったく状況は違うのだが……どうしても、似ているような気がした。

それは幼なじみがアリスと似ているからなのか、それとも「好き」だと言われたこと自体が少なかったからか。

どちらかは分からなかったが、サクはふと懐かしい気持ちになる。

故に――

「ありがとう」

「な、何が……？」

「俺の目の前にいてくれて」

一瞬、アリスの目が丸くなる。

しかし、すぐさま少し前のサクと同じように吹き出してしまった。

「ふふっ、何それ」

「さぁな」

サクは笑うアリスを見ながら、手元にあった紅茶を啜るのであった。

――英雄と呼ばれる男が転生してから八年。

自分が誰もが当たり前に謳歌している幸せを手に入れられたのかは分からない。

あの時、幼なじみを失ったことによる後悔が払拭できたとも思えない。

生き方は大きく変わっていて、これから慌ただしい日々が始まっていくことだろう。

しかし、この目の前にいる王女と出会ったことに後悔はない。

目の前にいる幼なじみに似た少女と出会ったことは……サクにとってかけがえのないものだ。

「美味いな、この紅茶」

「ふふんっ、そうでしょ！」

何せ、この瞬間味わえている今の時間は、間違いなく幸せだと言い切れるのだから。

あとがき

初めまして、楓原こうたと申します。

この度は『前世、英雄』をご購入していただきありがとうございました！

久しぶりの書き下ろし作品……ということで、実はかなり書籍発売しておりまして、皆様いかがでしたでしょうか？

満足していただけたのであれば、とても嬉しいです。

さて、今回は『自堕落な男×真面目な女』という構図のお話でした。

優しいくせに過去へのトラウマから自堕落への道へ歩くことを決めた主人公。実は、そんなやる気のない主人公系が大好きで、コメディ要素が捗るため、自作の主人公はこのような人間が多いです笑

「やだ！　俺は遊んで暮らしたいの分かってくれるかな分かってくれるよねあんさー!?」

こんな感じの主人公です。

気持ちが分かるからでしょうか？　それとも気が合うからでしょうか？　ついつ

いこんな感じの主人公になりがち……はぁ、遊んで暮らしたい。

こんな感じの主人公から、今度は誰かを見捨てることのできない優しさのギャップ。

誰かのために拳を握り、大切な人を守るためなら体を張ることへ抵抗を見出さない。

普段がだらしないからこそ、そんなギャップがかっこよくて、自然と主人公へ惹かれてしまうんです。

これは完全に憧れですね。私には無理です笑
そして、続いては真面目な女の子。

といっても、最後まで徹頭徹尾真面目というわけではありません。どちらかというと、主人公を上手く振り回してくれる女の子……でしょうか？

可愛くて、優しくて、自分の中に真っ直ぐな芯を持っていて、そこへ主人公が振り回される。

コメディな感じになりながらも、芯がしっかりしているからこそ不快なく魅力的なヒロインとして成立している。そんな女の子が大好きで、アリスもそのような感じ……になっていると嬉しいです。

という形で、本作は個人的なキャラクターを詰め込んでみました。

あとはそうですね……私、実はファンタジーよりもラブコメの方が個人的に好きでして。

本作を書いている時も「絶対にラブコメにしてやんよ！」的な思いを抱きながら筆を執らせていただいておりました。

ただただ主人公が最強というわけではなく、魅力的なヒロインを好きになる、もしくは魅力的なヒロインから好かれる。なんて構図をこの作品にぶち込んでおります。

せっかく出てきた魅力的なヒロインなのです。是非とも恋愛してほしい。あわよくば付き合いたい。

そんな願望が、色んなファンタジー作品を読んでいて時折ありました。（個人的主観）

あ？　てめぇなんでラブコメしねぇんだせっかく可愛いヒロインだろゴラァ、あァ？　的な気持ちです。（個人的感想）

なので、せめて……せめて自分の作品だけでも……ッ！　この二人でラブコメをさせたい！　なんて思ってしまいました。

最後にご挨拶とお礼を――

作品に携わっていただいた編集様方々、ならびにイラストを描いていただいた福きつね先生、あわせてありがとうございます。

こうして書籍を出せたのも皆様のおかげです。

また次にお会いできることを期待し、楽しみにしております。

それでは、またどこかで。

これからもどうぞよろしくお願いいたします。

Jノベルライト文庫

◆転生したら超チート能力ゲット!!
美味しいごはん&可愛い従魔と冒険者ライフを満喫!!

もふもふと異世界冒険メシ

〔著〕錬金王〔イラスト〕人米

虚弱体質だった会社員・佐野樹はいつも身体の内側に熱を持つ感覚を抱いていた。そして、繁忙期と熱の暴走が重なって倒れてしまう。すると女神様が現れ、彼に伝える。生まれるべき世界を間違えた。熱の原因は魔力で、魔力のない世界で魔力を持って生まれてしまったのだと…。

女神様の力で願い通りの健康な身体に加え、人一倍の魔力を持って異世界に生まれ変わったイツキ。そして、授かった卵から生まれた伝説の魔獣を相棒に、冒険者としての第二の人生を歩みはじめる…。可愛いもふもふと、美味しく楽しい異世界スローライフ、ここに開幕!

発行/実業之日本社　定価/780円(本体858円)⑩　ISBN978-4-408-55826-4

Jノベルライト文庫

◆地味な男子高校生が領主になって二人の美少女と結婚!? テイマー×ラブコメ♡

異世界でテイムした最強の使い魔は、幼馴染の美少女でした　1~2巻

〔著〕すかいふぁーむ〔イラスト〕片桐

クラスメイトと一緒に異世界に召喚された地味な男子高校生・筒井遥人は、やむを得ない事情で美少女の幼馴染・美衣奈と友人・かれんをテイムすることに。

そのせいでクラスメイトに疎まれた遥人は、3人で別行動を始める。それは困難な生活…と思いきやチートスキル向上とラブ展開が止まらない!?

その力を認められて広大な森の領主となった遥人だったが、それと同時に言い寄る美女も増えて美衣奈の心配は限界突破！美衣奈の想いは届くのか…!?

そんな中、なんだか隣の領土の動きが怪しくて――？

かわいい生き物も盛りだくさん！

テイマー×ラブコメ♡ファンタジー!!

発行／実業之日本社　定価／770円（本体700円）⑩　ISBN／1巻 978-4-408-55740-3　2巻 978-4-408-55825-7

前世、英雄。2回目の人生は遊びまくろうと思います。

2023年11月4日　初版第1刷発行

著　　者　楓原こうた
イラスト　福きつね
発 行 者　岩野裕一
発 行 所　株式会社実業之日本社
〒107-0062　東京都港区南青山6-6-22 emergence 2
電話（編集）03-6809-0473
　　（販売）03-6809-0495
実業之日本社ホームページ　https://www.j-n.co.jp/
印刷・製本　大日本印刷株式会社
装　　丁　AFTERGLOW
D T P　ラッシュ

この作品はフィクションです。実在の人物・団体・事件等とは一切関係ありません。

本書の一部あるいは全部を無断で複写・複製（コピー、スキャン、デジタル化等）・転載することは、法律で定められた場合を除き、禁じられています。また、購入者以外の第三者による本書のいかなる電子複製も一切認められておりません。

落丁・乱丁（ページ順序の間違いや抜け落ち）の場合は、ご面倒でも購入された書店名を明記して、小社販売部あてにお送りください。送料小社負担でお取り替えいたします。ただし、古書店等で購入したものについてはお取り替えできません。

定価はカバーに表示してあります。

小社のプライバシー・ポリシー（個人情報の取り扱い）は上記ホームページをご覧ください。

©Kota Kaedehara 2023　Printed in Japan
ISBN978-4-408-55827-1（第二漫画）